Luis Mateo Díez
El espíritu del páramo

LECTURAS ESPAÑOLAS CONTEMPORÁNEAS

VOL. 3

Lecturas Españolas Contemporáneas es una colección de textos literarios destinados a estudiantes que aspiran a hacer del español su segunda lengua. Su lectura, también, puede constituir un punto de partida para aquellos hispanohablantes que buscan una primera aproximación a la literatura actual en lengua española. Con esta finalidad, el texto, rigurosamente editado, va acompañado de una guía de lectura que sitúa al autor y la obra en su contexto y propone vías de comprensión e interpretación, a la vez que sugiere actividades para su utilización en clase.

Dirigen la colección:
Javier Blasco e Isaías Lerner

Comité Asesor
Pilar Celma
Víctor García de la Concha
José Ramón González
Jordi Gracia
José Manuel del Pino
Lia Schwartz
Darío Villanueva

Luis Mateo Díez

El espíritu del páramo

Edición, introducción y guía de lectura
Carlos Javier García

Cátedra Miguel Delibes
Iberoamericana Editorial Vervuert • 2008

© de esta edición:
   Iberoamericana Editorial Vervuert, 2008
   Amor de Dios, 1 — E-28014 Madrid
   Tel.: +34 91 429 35 22 | Fax: +34 91 429 53 97
   info@iberoamericanalibros.com
   www.ibero-americana.net
y
   Cátedra Miguel Delibes, Valladolid
   www.catedramdelibes.com

© Luis Mateo Díez

ISBN 978-84-8489-428-5

Depósito Legal: M. 56.609-2008

Fotografía y diseño de cubierta: W Pérez Cino
Impreso en España por
The paper on which this book is printed meets the requirements of
ISO 9706

Índice

> [...] contar la vida, recrearla y sustanciarla en lo imaginario, es una manera de ampliarla, de conquistar otro ámbito de la misma.
>
> Luis Mateo Díez, «Prólogo» a Miguel Díez R., *Luis Mateo Díez. Las estaciones de la memoria*, 8.

Presentación

El espíritu del páramo es una de las grandes novelas españolas de los últimos años. Su autor, Luis Mateo Díez, la publicó en 1996, creando con ella Celama, un territorio imaginario por debajo del cual se percibe cómo late el declive de un lugar reconocible y familiar, que pudiera buscarse en un mapa, pero cuya familiaridad y significación se imponen por la fuerza del mundo narrativo. Si bien la cartografía y alguna expresión dialectal pueden hacer pensar que son equiparables a las de un ámbito comarcal leonés, los elementos vertebradores del espacio textual trascienden la geografía referencial en sí y crean un mundo dotándolo de significación. Por el territorio literario desfilan vidas que testimonian realidades sociales y a la vez apelan a debates contemporáneos en torno a las tensiones de la modernidad y sus consecuencias, como el fin de la cultura rural y el grado de alienación que provoca en su población, el peso de la tradición y formas de identidad, el desarrollo tecnológico y el cuestionamiento de la idea de progreso deshumanizado, las tensiones de la posmodernidad, el agua, su escasez, aprovechamiento y los temas del medio ambiente, el desarraigo y la identidad individual y social.

Del compromiso con el fin de la cultura rural y sus trágicas consecuencias podría esperarse un tratamiento beligerante y vindicatorio; y es cierto que la preocupación del autor por la ocultación y olvido de esa cultura y sus gentes se trasluce en la construcción de la novela. Sin embargo, lejos del panfleto, el designio estético se impone y deja que hablen los personajes y los hechos dentro de una trama narrativa en la que se transparenta un pensamiento interrogativo que añade una perspectiva novedosa sobre los avatares de la modernidad y el progreso. La novela es la crónica del empeño por sobrevivir en un medio geográfico hostil y es también el relato de la desintegración que ocurre precisamente cuando la escasez material se va resolviendo. Si en el tiempo de subsistencia el espacio yermo impone un gran esfuerzo que limita el horizonte de los personajes, con la llegada del agua se alivian las insuficiencias materiales, pero viven la nueva situación de abundancia confinados a un destino de precariedad vital. Celama es así un espacio físico con un valor simbólico que habla del espíritu del páramo que se esconde y da forma a unos personajes y a un estilo de vida.

En el panorama literario actual predomina la novela de espacio urbano, sea el de la gran metrópoli o el de la ciudad de provincias, y la perspectiva narrativa desde la que se enfocan los hechos recurre con frecuencia a categorías políticas; es decir, se destaca el lenguaje que produce la significación política de la realidad. Un caso representativo lo constituyen las novelas que, bajo el impulso de la memoria histórica, remiten a la Guerra Civil o al franquismo con una perspectiva que define el devenir histórico en términos políticos. En este sentido, pudiera parecer que *El espíritu del páramo* es una novela distanciada estéticamente de la sensibilidad simbólica contemporánea, pues ni es urbana ni (aunque posee una dimensión política) invoca directamente categorías políticas para dotar de significación al mundo retratado. Sin ser incompatible con el lenguaje político, no coincide con él, no se politiza. Tampoco es novela erótica, ni histórica, ni policíaca, que son géneros dominantes hoy. Con todo, a juzgar por la recepción crítica, es una de las novelas mejor valoradas en los últimos años, que reafirma con fuerza la importancia de la escritura de Luis Mateo Díez y su conexión con debates de nuestro tiempo. El hecho de que se aleje de los parámetros de la novela de género reconocible y dominante, y que a la vez haya disfrutado de una recepción entusiasta, tal vez sea indicativo de que se trata de una novela dotada de energía propia, que apunta una dirección de alcance y consigue unos resultados literarios singulares, los cuales deben ser examinados por sí mismos sin quedar oscurecidos por las tendencias dominantes. Pensada de este modo, la novela es en primer término una construcción verbal que lleva adscrita enunciados ideológicos y éticos cuya significación irá emergiendo poco a poco. Cuando la fuerza de la palabra y las ideas trascienden los temas y los escenarios que son reconocibles en las novelas del momento, entonces la entrada en el mundo textual produce un lector inseguro y vacilante, sin apoyos categóricos que marquen una dirección de lectura y faciliten la aceptación de lo que se cuenta. Por lo tanto, una de las primeras cosas que el lector tiene que ir definiendo es qué tipo de novela es la que tiene delante.

ESTUDIO PRELIMINAR

1. LUIS MATEO DÍEZ

1.1. *Biografía y trayectoria literaria*

Luis Mateo Díez compagina la novela con la novela corta y el relato, además de libros ensayísticos donde expone su visión de la literatura, los paisajes de la experiencia, la cultura y sus tradiciones. Si bien es una obra que tiene algunos rasgos poco convencionales, su ir a contracorriente no ha impedido que sus libros estén en las librerías y circulen interesando al lector informado y a la crítica. Sus territorios resultan familiares y su escritura ha tenido el reconocimiento público e institucional destinado a los grandes escritores de la actualidad.

Luis Mateo Díez nació en Villablino (1942), cuando su padre trabajaba de secretario del ayuntamiento en los años de la posguerra. Su infancia y primera adolescencia transcurren en este pueblo de la montaña de León, donde contó con algunos buenos maestros cuyos métodos de enseñanza

mantenían vivo el espíritu de la Institución Libre de Enseñanza (más adelante veremos detalles). La lectura en voz
alta le permitió escuchar de la voz de aquellos maestros,
comprometidos con la enseñanza, libros que contaban «las
desventuras del caballero andante, los ardides del pícaro o
las habilidades de un náufrago remoto» (*Días del desván*
82). Alude así el autor a la lectura de tres libros importantes en su carrera novelística: el *Quijote* (1605 y 1615) de
Cervantes, la novela anónima *Lazarillo de Tormes* (1554),
y *Robinson Crusoe* (1719) del escritor Daniel Defoe. Otras
referencias literarias de la infancia escolar son *Flor de leyendas* de Alejandro Casona o los romances que recogió don
Ramón Menéndez Pidal en su *Flor nueva de romances viejos*
(Díez R. 1999: 12), además de más pícaros como «Rinconete,
Justina y otros habitantes más o menos ladinos y solapados
del Monipodio» (*El porvenir de la ficción* 84).

 Según el escritor, estas voces de los maestros no eran muy
distintas de las que escuchaba en los filandones. El filandón
es una reunión de vecinos en la que se cuenta, canta o lee;
son «voces nocturnas que entretenían las reuniones en las
cocinas del Valle, cuando todas las labores estaban hechas y
los vecinos concurrían con la paciencia de un ocio que podía
demorarse hasta el aviso del sueño» (*Días del desván* 82). La
experiencia infantil de la narración oral es calificada por Luis
Mateo Díez como la «más originaria de mis experiencias
literarias» (*El porvenir de la ficción* 35).

 A los doce años se traslada a vivir a la ciudad de León
y entra en contacto con el espacio urbano de la capital de
provincia, espacio que, como veremos, cobrará vida literaria

en varias narraciones suyas. Después de terminar el Bachillerato se trasladó a Madrid para estudiar Derecho, carrera que terminó en Oviedo, más atraído por la literatura que por las leyes y los cursos universitarios.

El contacto con amigos y nuevas lecturas le afirmaron en su inclinación a la escritura. El hecho de que viviera fuera de León no impidió que emprendiera con algunos amigos de esta ciudad la aventura de fundar y editar *Claraboya* (1963-1968), una revista con fuerza renovadora que destacó en la cultura de entonces. Desde hace más de tres décadas reside en Madrid, donde trabaja de jefe del Servicio de Documentación Jurídica del Ayuntamiento. La Plaza Mayor es el espacio urbano en el que trabaja y que inspiraría *Balcón de piedra. Visiones de la Plaza Mayor* (2001). Lejos del costumbrismo, como ocurre en otras narraciones suyas, la significación de lugares y objetos tiene en este libro un valor figurativo que trasciende lo meramente referencial: «me ha servido para rememorar lo que las plazas han significado en mi vida como centros de ciudad, lugares de encuentro, sitios a los que se va para estar un rato y sentirse cobijado. Y esa idea de refugio, de lugar protegido, sería el Destino con mayúsculas, la experiencia también del interior personal» (Marchamalo 2005: 219). Los lugares, los objetos acaban por tener un valor figurativo. Años fecundos en los que crea una obra que destaca en el panorama narrativo contemporáneo.

Los premios literarios concedidos a su obra son abundantes y le han sido otorgados los más importantes. Destacan el Premio Ignacio Aldecoa por el relato *Cenizas* en 1976 y el NH de Relatos por *Días del desván* al mejor libro de cuentos del año 1997; en novela, obtuvo en 1973 el Premio Café Gijón de novela corta por *Apócrifo de clavel y la espina*. Con *La fuente de la edad* (1986) obtuvo el Premio Nacional de Literatura y el Premio de la Crítica, reconocimientos que le fueron concedidos de nuevo en el año 2000 por *La ruina del cielo*. Ese mismo año fue elegido miembro de la Real Academia Española. En 2001 se le distinguió con el Premio Castilla y León de las Letras. *Lecciones de las cosas*, publicado en 2004, obtuvo el Premio Miguel Delibes.

Dos de sus narraciones han sido llevadas a la pantalla. En 1991, Julio Sánchez Valdés rodó para Televisión Española la versión cinematográfica de la novela *La fuente de la edad*, con guión de Julio Llamazares; y el cuento *Los grajos del sochrante* es uno de los relatos de la película *El filandón* (1984), dirigida por José María Sarmiento. Película muy recomendable que cuenta con la excelente actuación de Félix Cañal en el episodio basado en el cuento de Luis Mateo Díez. Por otro lado, en la película se asiste a la representación de un singular filandón en el que participan los escritores Luis Mateo Díez, Julio Llamazares, José María Merino, Antonio Pereira y Pedro Trapiello.

Luis Mateo Díez empieza como narrador publicando un libro de cuentos titulado *Memorial de hierbas* (1973). Le precedió el volumen de poemas *Señales de humo* (1972). El relato breve es un género que ha venido cultivando y cuya importancia se reconoce tanto en los estudios críticos como en las antologías más prestigiosas del cuento. Según el escritor: «Durante muchos años […] tuve la convicción de que el cuento era mi único destino como escritor» (*El porvenir de la ficción* 63). Un volumen muy representativo de sus relatos breves es el publicado en 2006 con el título *El árbol de los cuentos. Cuentos reunidos 1973-2004.*

A lo largo de los años publica libros de diversa naturaleza discursiva que amplían el espacio de sus ficciones con un impulso renovador. *Relato de Babia* (1981), *Valles de leyenda* (1994) y *Laciana. Suelo y sueño* (2000) son textos que tratan materias variadas y apelan a una concepción fluida del género literario que aloja tanto la memoria como la imaginación, encontradas las dos en la palabra que las manifiesta. No es posible detallar en esta introducción la variedad de historias y formas narrativas de estos libros. Los dos últimos, escritos en colaboración con otros escritores, incluyen textos que documentan lugares de la infancia y de una cultura rural cuya geografía e historia marcarán al escritor. Lejos del yoísmo, Luis Mateo Díez sitúa en primer plano el paisaje, la gente, sus costumbres y tradiciones, y las historias de lugares que dejarán huella en su escritura.

Uno de los relatos más memorables es «Lecciones de las cosas», incluido en *Laciana. Suelo y sueño.* Homenaje a la educación y a una posible modernidad, novela el viaje a Villablino (pueblo de León donde nació Luis Mateo Díez) de don Gumersindo de Azcárate, don Manuel Bartolomé Cossío y don Francisco Giner de los Ríos, guías de la Institución Libre de Enseñanza, fundada en 1876. Es ésta una institución pedagógica ligada a los esfuerzos por renovar España a través del camino de la educación. Estimuló la creación de escuelas que pudieran diseminar sus ideas de modernidad, sacrificio, defensa del trabajo exigente y bien

hecho, de la inteligencia clara en busca de la verdad. Algunos
de los escritores más importantes del siglo xx estuvieron
vinculados a la Institución, entre ellos, Machado, Unamuno,
Ortega y Gasset, Juan Ramón Jiménez y García Lorca. En
«Lecciones de las cosas» se destaca la importancia de lo popu-
lar, la comunicación con las gentes y con la naturaleza. La
historia expresa los ideales del proyecto institucionista y
la creación de una escuela asentada sobre cimientos laicos
y renovadores. En el relato se refleja el gusto por el modo
de hablar, por el camino y por el disfrute sosegado de las
cosas. La identificación entre Luis Mateo Díez y las ideas
expresadas en el relato delata correspondencias con otros
textos suyos. Se dice que la novela constituye una vía de
conocimiento ya que «teje y ofrece las claves imaginarias de
la existencia, lo que casi siempre veda la realidad» (*Laciana…*
153-154), y, de modo ideal, la novela devuelve «a la vida lo
que la vida por sí misma no logra expresar» (*Laciana…* 149).
Aparece la importancia de los sueños cuando Giner de los
Ríos recuerda que «en los sueños vivimos y sentimos tanto
como en la vigilia» (*Laciana…* 139), de ahí que a través de
ellos pueda lograrse el conocimiento. Cuenta el relato cómo
las ideas institucionistas alcanzaron el Valle de Laciana y,
haciéndose eco de Larra y Cervantes, se defiende la importancia que tiene para el desarrollo el largo y lento camino
de la educación: «O nos educamos […], o nos extinguimos»
(*Laciana…* 160).

Relato de Babia ha sido considerado un texto clave para
entender su obra. Recoge información relativa a las tradiciones de Babia, a sus costumbres, historia y folclore, incorpo-

rando testimonios de su manera de hablar y contar. Según Ángel G. Loureiro, Luis Mateo Díez «rinde homenaje al filandón, originaria experiencia literaria y fuente de su posterior quehacer literario» (1991: 11). Como estamos viendo, el escritor subraya en varios lugares y va dando forma a la importancia del filandón y de la literatura oral en general, reconociendo en la oralidad un valor fundacional de su trayectoria literaria. Dice uno de los personajes:

> Y en invierno hacíamos una cosa que se llamaba filandón, en tres o cuatro casas, después de cenar, en las cocinas. Y allí se charlaba, personas que leían bien decían lo que leían, que no había tele ni había radio ni había nada. Romances cuántos contaban los viejos, y coplas y cuentos y las historias más peregrinas, ésas de cuando el mundo todavía no lo era ni los prados y las vegas habían aparecido en Babia. También cosas que pasaron a nuestros mayores y asuntos picantes, de mucha gracia (*Relato de Babia* 138).

Babia es un vocablo que encierra una duplicidad significativa y referencial. Por un lado, Babia es una comarca al noroeste de la provincia de León; por otro, el vocablo Babia es un lugar que se encuentra en la expresión coloquial «estar en Babia», usada para describir a quien está distraído o ajeno a lo que sucede a su alrededor. En el uso que hace Luis Mateo Díez de esta dualidad (que aúna la geografía real y la fantástica) se sintetizan claves de su concepción del lenguaje y su relación con la realidad y con la ficción.

En este sentido, el escritor destaca la importancia que tiene la consciencia de la dualización de la realidad: se trata de esa «misteriosa dualidad de ser consciente de estar habitando un mundo verdadero que, a la vez, es fabuloso: un mundo del que tú tienes todas las certezas pero cuyo prestigio está cimentado en la mentira de la ficción y el sueño. De esa consciencia, de esa recatada lucidez, parte mi aprendizaje de lo imaginario» (*Relato de Babia* 33-34). Desde el lado de la escritura, se refleja así la consciencia del creador que diferencia lo que las palabras dicen y su significación.

Aunque la novela es el género con el que ha obtenido un reconocimiento superior de crítica y público, la frontera con los otros géneros no debe considerarse como un muro infranqueable, pues la literatura, como ocurre en *Relato de Babia,* es terreno fluido en el que hay sitio para la diversidad entrelazada. No siempre es fructífero atenerse a la frontera genérica como criterio diferenciador que lo aclara todo; tampoco lo es ignorar los géneros como obstáculo artificial, olvidando entonces diferencias establecidas en la literatura a lo largo del tiempo.

En 1977 publica en un volumen dos novelas cortas: *Apócrifo del clavel y la espina* y *Blasón de muérdago*. La primera, con la que obtiene el Premio Café Gijón en 1973, cuenta la historia de un linaje rural desde la Edad Media hasta su desmoronamiento a finales del siglo XIX. La segunda, *Blasón de muérdago,* es la historia del último señor de un linaje hidalgo que se precipita a su final en la miseria. Ambas novelas se sitúan en la montaña leonesa y con una prosa llena de brillos, a veces regionales, dan forma a vidas y espacios desolados que se configuran por la ruina y la muerte.

Las estaciones provinciales (1982), su primera novela extensa, deja los espacios montañosos de sus narraciones anteriores y se centra en la ciudad de provincias, espacio urbano en el que situará muchas de sus novelas (véase Martínez Fernández 2005). *Las estaciones provinciales*, finalista en el Premio de la Crítica, se publica en una nueva colección de Alfaguara que acoge a los nuevos valores narrativos del momento. Es una historia sobre la corrupción que entrelaza el mundo político, el económico y el policial. Haciendo uso de procedimientos característicos de la novela detectivesca, un periodista investiga la situación y se propone desenmascarar la trama. Los movimientos del periodista desplazan el foco narrativo de la redacción del periódico a la pensión y a la miseria de las chabolas, retratándose con detalle las calles y las tabernas de la ciudad en los años grises y negros de la década de los cincuenta. Novela de espacios, abundan los diálogos vivos que mueven la historia y abren pliegues de humor en la oscuridad del espacio.

La fuente de la edad (1986), como ya indiqué, obtiene el Premio de la Crítica y el Premio Nacional de Literatura y el autor logra su consagración como narrador. En esta novela de búsqueda y de venganza, un grupo de cofrades dados a la divagación sale al encuentro de una fuente de la eterna juventud. La crítica enmarca el texto en la tradición narrativa española de Cervantes y Valle-Inclán, la conecta con Delibes y la acerca al carnaval y a Rabelais. Fernando Valls lo resume bien:

[de Cervantes] recoge la acción itinerante, el peregrinaje de los protagonistas, el gusto por la digresión y la utilización de personajes locos o inocentes. Cervantina es también la búsqueda del ideal; el constante enfrentamiento entre sueños y realidad, entre lo soñado y lo vivido en definitiva; y el gusto por el lenguaje retórico, abarrocado, siempre con un deje de ironía [...]. Quizá de Rabelais proceda esa concepción carnavalesca del mundo [...]. De Valle-Inclán toma el peculiar humor de sus personajes, la esperpentización de las situaciones y esa concepción de la realidad compleja mediante la cual va mostrando tanto lo que de extraordinario hay en lo cotidiano, cuanto la riqueza fantástica que atesora la vida [...]. Y algo hay también de Delibes en esos santos inocentes con los que se cruzan los cofrades (2002: 51-52).

La fuerza fabuladora de Luis Mateo Díez continúa en *Las horas completas* (1990), novela ambientada en una carretera del Camino de Santiago la tarde de un domingo cuando tres canónigos y dos sacerdotes jóvenes se dirigen a un pueblo a pasar la tarde. El encuentro con un peregrino trastoca sus planes y el viaje introduce en el espacio narrativo vidas dispares y modos de hablar y pensar de gran variedad que confluyen en un conjunto unitario.

En *El expediente del náufrago* (1992) nos encontramos de nuevo en la ciudad de provincias de los años cincuenta. Un funcionario del Archivo Municipal, que alterna su trabajo con su vocación de poeta, descubre escritos poéticos de un poeta desaparecido y emprende su búsqueda. El poder de la imaginación se activa para escapar de la rutina de un mundo estrecho y gris y salvarse del naufragio. La oposición entre deseo y realidad incita a la vez al pensamiento y a la búsqueda, pero el desencanto acaba por invadir las zonas acotadas por el poder de la imaginación.

El recurso de la búsqueda lo convierte Luis Mateo Díez en un instrumento ideal para reflejar los diversos intereses y frustraciones de quienes viven inmersos en lo cotidiano. Así ocurre también en *Camino de perdición* (1995). La ductilidad del viaje admite la incorporación de nuevos espacios que acabarán dando forma a lo hasta entonces informe. El interés por las técnicas narrativas se manifiesta en las introspecciones que no siempre presentan de modo claro lo que se resiste a permanecer nebuloso y sólo admite el dibujo preciso de la posibilidad y del ensueño de quien busca sobrevivir. Según Santos Alonso, esta novela, junto con *La mirada del alma* (1997) y *El paraíso de los mortales* (1998), forman parte de un apartado intermedio entre los dos ciclos de novelas de Luis Mateo Díez. Si en el primero destaca el peso de la provincia y la ciudad de León, en el segundo se acentúa lo simbólico e imaginario; en el tercero, inaugurado con *El espíritu del páramo* (1996), se crea el territorio mítico de Celama que dará lugar a la trilogía reunida en el volumen *El reino de Celama*.

En sus siguientes novelas se observa una continuidad, con variantes, de los temas y escenarios que ha venido novelando. El escenario rural coexiste con el microcosmos urbano, sin que su trayectoria admita una interpretación reduccionista, y el impulso elegiaco manifiesta el desencuentro y las dificultades de adaptación de las realidades tradicionales a las contemporáneas. Sobre el deseo y los contrapesos de la realidad giran las tres novelas cortas que incluye *El diablo meridiano* (2001), y las tres de *El eco de las bodas* (2003). El propio mundo de la infancia está relatado en *Días del desván* (1997), y es ese espacio el que reaparece en *Lunas del Caribe* (2000), publicada por Anaya en una colección infantil y juvenil de 9 a 14 años.

La aparición de *Fantasmas del invierno* (2004) ofrece un texto extenso y de gran complejidad que aborda la Guerra Civil desde sus consecuencias. Dice el autor:

> Yo tenía una vieja deuda, desde hace mucho quería escribir una novela sobre la posguerra [...]. Yo quería contar eso, no desde una perspectiva testimonial, sino desde una pretensión más legendaria. Quería contar un cuento de miedo: es un largo invierno, en una ciudad de provincias que se va enterrando en la nieve, donde bajan los lobos, donde parece que es imposible vivir, donde la gente duerme mal, con remordimientos... Hay un hospicio también donde está guarecido lo más desabrigado, lo más triste y patético que son los niños de la orfandad, los niños del desamparo. Y en esa ciudad turbia a la que está volviendo el invierno, donde de pronto aparecen cadáveres degollados, y no se sabe si los lobos se han desmandado, hay un crimen en el hospicio, a un niño le han clavado un cuchillo, y la novela gira alrededor de esa investigación en la que impera el silencio y muchos secretos que se van desvelando de una manera un tanto inquietante. Y hay una atmósfera de frío, nieve, el frío en el alma, no es una novela fácil, puede ser obsesiva (Marchamalo 2005: 226).

Con la publicación de *La piedra en el corazón* (2006), Luis Mateo Díez da un nuevo giro y aborda una historia con ambientación contemporánea en el escenario de la gran ciudad. De los atentados terroristas del 11 de marzo de 2004 surge el trasfondo de una historia en la que el argumento cede a la exploración psicológica y, sobre todo, a la reflexión sobre un mundo con todas sus angustias, inseguridades y contradicciones. Las dificultades de la comunicación, la enfermedad y el dolor afloran en un texto reflexivo y enigmático.

La gloria de los niños (2006) explora el mundo de la infancia, con un niño llamado Pulgar como protagonista. En la figura del niño se ponen a prueba responsabilidades impropias de su edad cuando decide cumplir el encargo, recibido de su padre moribundo, de buscar a sus hermanos. El mundo de la fábula y su ejemplaridad inscribe la tradición en esta historia que se desarrolla en el medio hostil de la posguerra.

1.2. *Una manera de novelar en su contexto*

Describir la narrativa de Luis Mateo Díez en su contexto correspondiente es una tarea compleja. No sólo conlleva describir su trayectoria dentro de la narrativa española desde los años setenta hasta nuestros días, apuntar sus antecedentes y señalar las tendencias predominantes; también implica dar cuenta de la diversidad de criterios, explicaciones y juicios existentes en la recepción crítica. Este ejercicio de síntesis se complica, tanto por el limitado horizonte temporal con

respecto al período señalado como por el hecho de que el
escritor se encuentra en activo, y, por lo tanto, cualquier
ordenación de sus narraciones es provisional. Contando con
los riesgos y limitaciones que impone este punto de partida,
se trata ahora de ofrecer una valoración de conjunto, apun-
tando posibles claves que faciliten la lectura de *El espíritu
del páramo*.

Su obra se inscribe en una tradición literaria abierta
en la que, como adelanté, caben los clásicos españoles (de
Cervantes a la picaresca) y, entre otros, Rulfo, Faulkner,
Onetti, Benet, Baroja o ciertos novelistas italianos como
Vasco Patrolini, Giorgio Bassani, Italo Svevo o Pavese. Tanto
el autor como la crítica coinciden en destacar la influencia
de Valle-Inclán, señalando el peso de la visión legendaria y
la visión deformante del esperpento. Indica Luis Mateo Díez
que en el retrato de la ciudad le interesa también la idea del
thriller y las novelas de Hammett: «esa novela que compagina intriga y realidad, que no renuncia a lo documental y
a lo significativo, que no se extravía en lo sociológico pero
habla de la vida en un tiempo concreto, en una sociedad
determinada, en una ciudad» (Hernández 2003: 498). Hay
en su obra un rechazo tanto del casticismo como del expe-
rimentalismo sin más.

Según hemos apuntado, sus narraciones están vinculadas
a enclaves geográficos que, en ocasiones, han servido como
categorías ordenadoras de su obra. Quien mejor aplica este
criterio es Miguel Díez R. en *Luis Mateo Díez. Las estaciones
de la memoria*, donde distingue los siguientes territorios:
Laciana (el mito oral de la infancia), Luna (la orilla de la

leyenda), Babia (el mito de los valles), León (la estación provincial), el Páramo (la fábula de la supervivencia). Este enraizamiento geográfico de sus narraciones aparece en su obra con una fuerza verbal que resalta sus valores textuales intrínsecos.

Veamos brevemente la clasificación de Santos Alonso, uno de los críticos que más atención ha prestado al autor. Para él, y según ya hemos señalado en el apartado anterior, *Camino de perdición* (1995), junto con *La mirada del alma* (1997) y *El paraíso de los mortales* (1998), forman parte de un apartado intermedio entre dos ciclos de novelas. En el primer ciclo o estilo, que califica de realista con proyección metafórica o simbólica, «se incluyen aquellas novelas que, con una mirada al pasado remoto o reciente, se centran en la novelización de la provincia y la ciudad de León y crean la provincia mítica» (2002: 29). En el segundo ciclo, el autor ha sustituido «los límites espaciotemporales tan precisos de sus obras anteriores por otros menos localistas [...]. Pero sobre todo ha cambiado el punto de vista» (2002: 38). Cobran un relieve superior la memoria y los espacios interiores de los personajes y son ellos los que cuentan su aventura. Todo ello supone «un paso adelante en los aspectos técnicos y formales» (2002: 38). El segundo ciclo, «más simbólico e imaginario, [...] culmina el proceso mitificador de la provincia con la creación de Celama, uno de los territorios míticos más originales de la literatura española» (2002: 29). Este ciclo se abre con *El espíritu del páramo* (1996) y forma parte de un volumen que reúne la trilogía titulada *El reino de Celama*.

En un contexto diferente, examiné el concepto de generación literaria y su alcance a la hora de ordenar la obra literaria de algunos escritores, entre los que se encontraba Luis Mateo Díez (García 1955: 59-66). Si bien entroncar a un autor dentro de una generación pudiera confinar, a veces de modo rígido, la diversidad de la literatura y de sus estilos, la crítica intenta con frecuencia buscar complicidades generacionales y homogeneidades textuales para ordenar la literatura según parámetros cronológicos que den cuenta del tiempo histórico. El método generacional se propone como un dispositivo con capacidad explicativa que calibra las posibles continuidades y discontinuidades entre la historia y la literatura. Entre los estudiosos que usan el método generacional hay diferencias en la manera de dar forma al devenir histórico y literario. Veremos que los distintos marbetes generacionales usados reflejan a veces esas diferencias.

El haber nacido Luis Mateo Díez en 1942 le coloca en un segmento temporal sobre cuya designación no existe acuerdo. Ignacio Soldevila Durante habla de Generación de 1966, marcando con esa fecha el año que se promulgó una ley de censura que suponía cierta apertura en la libertad de expresión. Es de notar que la censura se aligera al mismo tiempo que la poética social es desplazada por los novísimos o, según propone Provencio, los «novísimos sociales» (en esta última denominación, el primer Luis Mateo Díez aparece dentro del equipo *Claraboya*; Provencio 1988: 51).

Santos Sanz Villanueva propone en varios estudios el marbete Generación del 68, vinculándolo con el espíritu utópico defendido por los movimientos de oposición. Distingue una primera fase más experimental y una segunda caracterizada por la narratividad. Si *La verdad sobre el caso Savolta* es emblemática de esta segunda fase, Luis Mateo Díez es uno de los autores que «apuntalaron esta tendencia pronto triunfante, sin que ello implique deuda sino tan sólo coincidencia de época en el aprecio de este tipo de planteamientos» (1992: 254). Entre los novelistas que incluye (nacidos entre 1939-1950), están: Juan Pedro Aparicio, Félix de Azúa, Juan Cruz, Luis Mateo Díez, José Antonio Gabriel y Galán, José María Guelbenzu, Manuel Longares, Marina Mayoral, Javier Marías, Eduardo Mendoza, José María Merino, Juan José Millás, Vicente Molina Foix, Lourdes Ortiz, Álvaro Pombo, Soledad Puértolas y Manuel Vázquez Montalbán. La pluralidad de líneas narrativas de estos escritores confluye, según Sanz Villanueva, en la búsqueda de vías de modernización de la novela. Considera a Juan Benet una figura clave, por el impulso experimental y desrealizador de la novela social. En cuanto al momento histórico, señala: «Estos escritores no se sienten herederos de los enfrentamientos ideológicos de sus padres (al contrario de lo que sucede con la generación de medio siglo). Su actitud política es de rechazo al franquismo pero distinguen entre el compromiso cívico y la actitud literaria [...]. Coincide también con el triunfo del llamado "boom" de las letras hispanoamericanas» (1992: 253).

Santos Alonso se refiere en varios estudios a la Generación literaria de 1975, distinguiendo una tendencia social y otra experimentalista. Puntualiza que Luis Mateo Díez mezclará las técnicas tradicionales con el impulso formal renovador, «para afianzar el carácter narrativo de su escritura y para construir unos mundos imaginarios cada vez más personales: su realismo es crítico y distanciado [...], y se reviste de recurrencias imaginativas y fantásticas, de ironía, de humor y expresionismo esperpéntico, que dotan normalmente al relato de un significado simbólico o alegórico» (2002: 17-18).

A la altura de 1987, Guelbenzu apuntaba, de manera dubitativa, la presencia activa de escritores de diferentes grupos de edad: el que hizo la Guerra Civil (con Torrente Ballester o Cela), el de medio siglo (Juan Goytisolo o Benet) y el que integraría el grupo del propio Guelbenzu, con Eduardo Mendoza y Luis Mateo Díez. Vista la coexistencia generacional desde la perspectiva actual, es necesario sumar los grupos nacidos a partir de los cincuenta, que ya cuentan en la actualidad con algunos escritores consagrados como, por ejemplo, Javier Marías, Rosa Montero, Antonio Muñoz Molina o Julio Llamazares; y habría que añadir los más jóvenes, Loriga, De Prada, Mañas, Benjamín Prado o Belén Gopegui, que van consolidando su espacio en la historia de la literatura.

Hagamos una observación final sobre los cortes cronológicos generacionales. Aunque no existe una frontera generacional que separe e impida la comunicación de los escritores pertenecientes a diferentes grupo generacionales, el ritmo de cambio en la actualidad se ha acelerado y, en períodos cada vez más cortos, añade barreras que separan el sistema de referencias y valores de los diferentes grupos de edad. El horizonte de los grupos generacionales cuenta con referentes diferenciados culturalmente que atañen a la formación, las creencias, las vivencias, también a los usos del mundo mediático, en fin, vías de comunicación y referentes relacionados con el conjunto de mitologías que constituyen el imaginario y dan forma a la identidad. El diálogo intergeneracional y la coexistencia fluida de diferentes generaciones no ocultan el hecho de que en las novelas de los grupos de edad más distantes puedan observarse en la práctica novelística diferentes mundos referenciales. No se trata tanto de fronteras infranqueables como de tendencias en los temas, asuntos y formas de novelar. Todo ello dentro de un contexto literario y cultural supranacional, en el que las vías de comunicación son cada día más fluidas.

Según Darío Villanueva, la novela española a partir de 1975 se explica a la luz de conceptos que tienen alcance para otras novelísticas occidentales: «la restauración del pacto con el lector basado en la narratividad, la respuesta de la literatura al horizonte de una sociedad marcada por los nuevos medios tecnológicos de comunicación, las características cosmovisionarias de la llamada posmodernidad y, finalmente, la incidencia de los factores puramente mercantiles en los sistemas literarios, con la creciente vigencia, a estos efectos, de la industria cultural» (2002: 812). El que se repare en las particularidades de España no impide que pueda examinarse el acomodo de la novela española en el horizonte europeo o americano. En otro estudio, Villanueva analiza de forma más detallada el sistema literario y distingue diferentes factores: la producción, la mediación y los poderosos agentes de la industria literaria española, la recepción y la recreación, entendiendo esta última como la «lectura transformadora que del texto se hace en forma de crítica, interpretación, comentario, parodia, resumen, adaptación, paráfrasis, versión fílmica, etc.» (1992b: 8). Lo que se pone de manifiesto en esta formulación es la importancia de factores ajenos a los textos en sí, factores que, sin embargo, inciden en la configuración de la literatura y de los propios textos. Al enfocarse así la literatura, entonces los textos emergen como un espacio interpretable, abierto a lecturas múltiples.

En este sentido, el pensamiento posmoderno ha acentuado la importancia que tiene el receptor en el resultado interpretativo, hasta el punto de que la idea de texto resultante de la interpretación aparece indisociable del agente que la postula y del marco conceptual en el que éste se apoya. Esto insta a dilucidar en qué medida el lector descubre, activa o inventa el sentido de un texto: cómo el vocabulario crítico en que se apoye el lector podría ser determinante del resultado interpretativo. Afirma Mieke Bal que los textos no hablan por sí solos —«the text does not speak for itself»— y añade que el incorporar esta idea en la interpretación misma es tal vez hoy en día ineludible. Este giro interpretativo se manifiesta también cuando Kershner, a propósito del posmodernismo, afirma que pudiera ser más un modo de leer que de escribir —«may be more a way of reading than a way of writing» (1997: 77)—. De esto se desprende que la relativización de la verdad y la inestabilidad del sentido, a veces, comparecen en los textos en unión con prácticas de lectura vinculadas con el pensamiento posmoderno.

En contraste, existen estudios que proponen valorar la dimensión afirmativa ética e ideológica de la novela contemporánea, sugiriendo de este modo una rectificación o superación de algunas claves posmodernas marcadas por el relativismo. Juan Oleza señala que a finales del siglo XX se consolidan nuevas formas de realismo en la ficción; entre ellas, destaca el «registro naturalista» de Luis Mateo Díez y su «plena recuperación del prestigio del diálogo y la escena» (1996: 42). Aunque estas novelas realistas difieren entre sí, apunta: «su fundamento último radica en la voluntad de representar la experiencia de lo *real-otro* desde el punto de vista, la situación y la voz de un personaje implicado, la plena restitución de un designio de mímesis (relativa, subjetiva, alegorizadora, emanada del imaginario personal… pero mímesis, al fin y al cabo), así como la decisión de reconducir la novela hacia la vida, obligándola a rectificar aquella otra dirección según la cual la novela es un orbe autosuficiente y clausurado de lenguaje» (1996: 42). Hay que notar que el vocabulario de Oleza conduce la lectura en una dirección afirmativa encaminada a superar el relativismo asociado con la posmodernidad.

En el contexto de una concepción multicultural del estado español, que hace visible la literatura escrita en otras lenguas, existen algunas categorías articuladoras de la literatura española que se abren a esta realidad. Que la nacionalidad, la literatura y la lengua son entidades diferentes es algo que se pone de manifiesto cuando se consideran las lenguas de España y la literatura de Latinoamérica escrita en español. En este sentido, escribe Brad Epps:

> The complication, if not collapse, of a national conception
> of Spanish literature is not limited to the Iberian periphery
> or the Americas. The «grupo leonés», or «León group», is a
> construction that privileges a place of origin, with three diverse
> writers — José María Merino, Luis Mateo Díez (1942-), and
> Juan Pedro Aparicio (1941-) — linked as much by geography,
> common cultural history, and friendship as by style, theme,
> or ideology (2004: 722).

Acierta el profesor de Harvard al considerar «el grupo
leonés» una categoría que convoca a estos escritores. Se trata
de un marbete que, de modo latente y con diferentes usos
y nombres, ha permanecido a lo largo de los años como
denominación agrupadora que incluye a Luis Mateo Díez.
El hecho de que en dicha denominación se privilegie el origen es algo que tal vez tenga el efecto de multiplicar su
significación y a la vez la confine a un territorio, a un lugar.
Y es que cuando a un escritor se le vincula con León, sin
más y como si fuera un vínculo evidente, con frecuencia el
origen parece ofrecerse como una metáfora iluminadora,
con brillo sentimental y de carácter evocativo, que dota de
identidad a quien se aplica. El origen aparece como la luz de
una supuesta evidencia. Se trata entonces de una metáfora
de significado indefinido y el lector ha de ponerlo todo de
su parte. Hemos visto que, en el caso de Luis Mateo Díez,
los lugares de experiencia han dejado huella y que tanto el
autor como los estudiosos aluden al origen como uno de los
anclajes del autor. Cuando se apela al origen, es frecuente
aludir al vínculo con el lugar de origen por lo que encierra de

vínculo con la historia y las experiencias literarias asociadas con el lugar. En este sentido, aunque es complejo valorar la importancia que tiene el lugar de origen de un escritor, es cierto que, según hemos visto, ha colaborado en diferentes proyectos con escritores de León, lo cual tal vez alimente también la percepción que en ocasiones se tiene de Luis Mateo Díez y su vinculación con el lugar de origen. El proyecto literario más patente, con la firma de los tres escritores mencionados arriba, es la creación de Sabino Ordás. Ahora bien, se trata de que estos anclajes auxiliares (como el origen o el grupo de pertenencia) no se impongan en la lectura como garantes que desde su exterioridad paralicen o limiten la fecundidad de significados textuales y sus conexiones literarias y culturales.

Lo escrito acerca de las narraciones de Luis Mateo Díez muestra la variedad de registros del autor, los cuales, a su vez, incitan a lecturas variadas. Las encontramos en los estudios mencionados, pero es de notar que existe un número creciente de estudios que se centran en el análisis interno de las novelas dentro de una línea estético-ideológica. Son de gran utilidad para el lector los estudios de Ricardo Senabre (de modo reflexivo incide en el ámbito literario y apunta constantes fundamentales de su escritura), y, de la larga lista de estudiosos de la obra del autor, destacaría los siguientes nombres: Fernando Valls, Santos Alonso, Epicteto Díaz Navarro, José Carlos González Boixo, Ángel Basanta, José María Pozuelo Yvancos, María Payeras Grau, José Enrique Martínez Fernández, Natalia Álvarez Méndez, Enrique Turpin, Marta E. Altisent, Nicolás Miñambres, Asunción Castro

Díez (estudiosa pionera y constante del autor y editora de un volumen de referencia obligada que presenta una bibliografía exhaustiva). Antonio Candau es el autor de una breve pero muy atinada introducción al mundo novelístico del autor. Consúltense también la excelente colección de estudios del especial *Cuadernos de narrativa. Luis Mateo Díez*, editado por Irene Andrés-Suárez y Ana Casas. El predominio del análisis ha desplazado las opiniones del ensayo valorativo e inspira una variedad de estudios (véanse, por ejemplo, los de Navajas y Moreno Caballud) en los que se proyecta un lenguaje teórico procedente de las innovaciones de las últimas décadas. En el apartado siguiente, dedicado a *El espíritu del páramo,* concretaré las referencias bibliográficas que se centran en esta novela.

2. *EL ESPÍRITU DEL PÁRAMO*

2.1. *Recepción*

Las primeras reseñas en los suplementos de la prensa diaria encuadran *El espíritu del páramo* (1996) dentro de la trayectoria del autor, aluden al contexto de la novela contemporánea y valoran elogiosamente la ambición narrativa que supone esta nueva novela. Con ella se inicia una trilogía cuyo impacto creciente se hará notar en el panorama literario a medida que se publiquen las otras dos entregas (*La ruina del cielo. Un obituario* en 1999 y *El oscurecer. Un encuentro* en 2002). La trilogía, junto con una parte adicional titulada *Vista de Celama. Un apéndice,* se reúne en 2003 bajo el título *El reino de Celama.*

Sin hablar de ruptura con su obra anterior, los críticos aluden a la calidad literaria y a la creación de un espacio imaginario. Miguel García-Posada lo define en su reseña de *Babelia* como «la fábula de un territorio mítico, de sus gentes, de sus sueños y, también, de sus ruinas» (1996: 9). Vincula la novela con la obra titulada *Relato de Babia*, pues las dos coinciden en incluir un texto prologal seguido de un conjunto de historias; además, en los dos casos se incluye en el título la palabra «relato» como idéntica «denominación genérica». El páramo es visto como «un mundo de soledad, ruina, vacío y muerte, grotesco algunas veces y cómico otras, donde los personajes se enfrentan resignados a su destino o lo asumen irónicamente». El resultado es un «libro compacto, profundo, melancólico, agridulce y definidamente elegiaco. Un hermoso libro, con algo de poema [...]. El mítico páramo de este relato señala en su precariedad la precariedad misma del destino de los hombres». Y concluye con una pregunta: «¿Se atreverá L. M. Díez a escribir algún día la novela de Celama?».

La reseña que Ángel Basanta escribió para *ABC Literario* presenta paralelismos con la de García-Posada. Coinciden los dos críticos en la mención del subtítulo «Un relato», que para Basanta «destaca por adelantado la fuerte unidad interna que da cohesión a la diversidad de historias que se cuentan» (1996: 11). El hilo más unificador «está en la calculada permanencia de inquietudes y obsesiones provocadas por el ámbito de aquella piel de la miseria. La misma geografía animalizada de la llanura de Celama, es objeto de transfiguración de un espacio real en territorio mítico».

Concluye: «Esta última novela tiene mucho de canto elegiaco y de poema en su transfiguración literaria de un mundo de perdedores, recreado con el patetismo, la ironía y el humor que impregnan su realismo carnavalesco» (1996: 11). Es de notar que las coincidencias al señalar las claves de la novela coexisten con articulaciones diferenciadas.

En la reseña que Fernando Valls publicó en *Ínsula* (inicialmente apareció una más breve en el periódico *El Mundo*) califica *El espíritu del páramo* sin vacilación: «una pequeña obra maestra» (1996: 22). Se detiene brevemente en los relatos, razona su unidad espacial y temática, identifica como eje articulador de la novela la fuerza del entorno y su papel en la configuración de la identidad, también anclada en sueños y quimeras, y subraya el humor y los ecos literarios, concluyendo que Luis Mateo Díez «transita ahora por el mejor camino, en la tradición —sin olvidar a Faulkner— de los grandes maestros hispanoamericanos, de Juan Rulfo a García Márquez» (1996: 23).

Los estudios de mayor extensión atienden a variados aspectos, en muchos casos ya anunciados en las reseñas que acabo de comentar. Han sido objeto de estudio preferente el espacio novelesco, el fin de la cultura rural y la variedad de personajes que integran la novela. El estudio de Natalia Álvarez Méndez incluye certeros comentarios sobre el cronotopo de Celama como elemento conformador de los personajes y de las concepciones del mundo que allí circulan. Para Turpin, la novela rescata la memoria de donde habitaba el olvido, y el espacio árido e inhóspito representa «un trayecto hacia la esencia, hacia el espíritu» (2003: 457-458).

Se detiene en el estilo e indica que el autor «se ha despojado de un barroquismo» presente en sus primeras obras; es «un monumento al lenguaje ascético», que aquí se muestra «depurado, esencial» (2003: 461). Propone 1939 como la fecha que marca el inicio del memorial de Celama, pues Rapano tenía ocho años en 1947, es decir, nació, «significativamente», en esta fecha, lo cual, apunta, no fue destacado por ninguna de las reseñas (2003: 463). En una lectura sugerente, convierte el espacio de Celama en un factor interpretador y propone leer la novela como «una fábula sobre el abandono y la disolución de las culturas rurales, que es otra forma de hablar de la disolución de nosotros mismos, al ahondar en la idea de que todos tenemos un pasado campesino. De ahí que el paisaje de ese mundo sea, a su vez, el paisaje del alma» (2003: 460).

Los estudios que se dedican a *El espíritu del páramo* suelen destacar aspectos parciales (biográficos, temáticos, lingüísticos, genéricos, simbólicos), buscándose a veces un hilo conductor que guíe la interpretación. González Boixo, en un extenso y lúcido análisis, propone una lectura de amplio alcance para observar la interacción temática y estilística. Se centra en las estructuras narrativas y pone de manifiesto los espacios de contactos sociales y textuales, así como el reflejo de esta interacción en la unidad de Celama. Propone que en el espacio narrativo existe una especial vinculación entre la perspectiva del narrador y la de Rapano, y, basándose en los temas que les obsesionan a los dos, considera a este último «una especie de alter ego» del narrador (2003: 530). El análisis del ciclo completo de Celama le lleva a proponer múltiples continuidades, intersecciones y superposiciones que enriquecen la lectura.

El estudio de Epicteto Díaz Navarro se centra en varios aspectos que manifiestan la significación del relato. Una idea fundamental es alinear a Celama en la línea narrativa moderna creadora de territorios míticos, invocando así el nombre de Juan Benet, «cuya Región es, por razones geográficas, la más próxima a estos textos» del páramo (2005: 84). Este acercamiento es sumamente valioso por mostrar la interacción entre elementos genéricos, estilísticos y temáticos. Caracteriza el modelo seguido por el autor buscando ecos literarios: «frente al tópico de menosprecio de corte y alabanza de aldea, Celama no se caracteriza por la belleza, la riqueza, la sencillez o algo parecido a una edad dorada sino justamente por la inversión de todo ello» (2005: 84-85).

Tanto en las primeras reseñas de *El espíritu del páramo* como en los estudios de corte académico que vienen apareciendo, es observable que su significación se inscribe en la historia de la literatura y se prolonga en campos culturales más amplios donde Celama ha comenzado a ser un territorio mítico de referencia junto con Comala o Región.

2.2. *Claves de lectura*

Al dar cuenta en las páginas precedentes de la trayectoria del autor y de la recepción crítica, en la valoración de conjunto he procurado establecer conexiones con la novela que aquí nos ocupa. Se trata ahora de apuntar de modo directo posibles claves que faciliten su lectura. Antes de pasar a la interpretación de la trama que entrelaza la novela en su conjunto, adelanto a continuación un breve comentario de los quince relatos que la componen.

2.2.1. *Los relatos*

Capítulo 1

En este capítulo inicial de carácter documental y reflexivo se enuncian algunas constantes del mundo de Celama que activan la configuración del resto de la novela. Se habla de una remota antigüedad que rememoraba alguno de los forasteros asociando los orígenes del lugar con un vergel. Pero de esa antigüedad «en Celama nadie sabía nada» (80) y la geografía y la geología cifran la aridez como marca de identidad territorial. El espíritu del páramo se define vinculándolo con la obsesión por el agua y la lucha por la supervivencia.

La importancia del capítulo reside también en que señala una dirección interpretativa al lector. Presenta una visión panorámica que apunta de antemano las relaciones de causa a efecto que rigen la realidad y la experiencia de sus habitantes, entregados a la supervivencia. La voluntad de manipular la árida realidad pervive en Celama a lo largo de los siglos y atribuye al agua poderes salvadores para conseguir su dominio. Ahora bien, en la medida en que este capítulo traza una dirección de lectura de los capítulos que siguen y sugiere las relaciones de causa a efecto que rigen la realidad, desde el comienzo el lector dispone de ciertas claves que le permitirán interpretar la realidad desde una perspectiva que, a veces, contrasta con la valoración de los personajes. La experiencia, que para ellos está inmersa en la casualidad y la contingencia, para el lector obedece a claves que la configuración del texto expone en términos de supervivencia y fuerza del espacio. Como consecuencia, mientras que los personajes aparecen entregados a sus obsesiones, el lector, distanciado por las claves de que dispone, ve también cómo se engañan a sí mismos confundiendo a veces la realidad con su deseo. Mientras que los personajes ven en el agua un objeto mágico dotado de poder especial que puede hacerles felices, el lector dispone desde el primer capítulo de información que alimenta su escepticismo. El hecho de que el capítulo proporcione una visión de conjunto y oriente la lectura en una dirección determinada, no quiere decir que cierre las posibilidades interpretativas sino que propone cauces cuyo alcance irá definiéndose en los capítulos siguientes. El lector viaja sobre todo por el páramo y atraviesa una geografía simbólica trazada por un territorio de secano, árido y desolado. El tono desalentador del primer capítulo enmarca el resto y crea unas expectativas que forman parte de la lectura. Con todo, lejos de lo monolítico y previsible, en el mundo de Celama hay espacios contingentes y abiertos donde se producen a menudo encuentros imprevistos.

El contenido del capítulo incita también a una consideración interpretativa de carácter más amplio que comunica el texto con instituciones, valores y prácticas culturales de la actualidad. Me refiero especialmente a ciertas prácticas interpretativas, más presentes en las comunidades nacionalistas, que valoran el territorio y sus coordenadas espaciotemporales en una dirección histórica y política, portadora de sentido identitario. Es observable que cuando el fervor nacionalista mueve a los habitantes de un territorio, éstos tienden a situar los orígenes del lugar en un espacio pastoral, donde la armonía natural ampara, incita y protege los deseos que dan forma a un pasado remoto y originario. Nuestra época descreída no está ajena a ese sentimiento o mitología, lo cual contrasta con la propuesta que encontramos en *El espíritu del páramo*, un lugar inhóspito cuyos orígenes no guardan afinidad con los espacios pastorales y paradisíacos que son convencionales en los mitos del origen y con los que se busca afianzar unas señas de identidad colectivas. Dichas comunidades interpretativas contrastan con el planteamiento que aparece en el último párrafo del capítulo uno: «Lo cierto es que la Llanura no tiene leyenda, nada que enaltezca memoria con la imaginación de quienes la habitaron para que, en algún sentido, haya un patrimonio idealizado que modifique el espejo de la cruda realidad» (84). Lo cual no impedirá, como veremos, que quienes habitan en Celama acaben arraigándose en esa cruda realidad.

Capítulo 2

Frente al relato panorámico del capítulo anterior, aquí hay un personaje, Rapano, presentado en su individualidad y que ocupa un lugar preeminente. Vuelve a aparecer como centro narrativo en tres capítulos y ofrece claves para determinar la línea temporal de la novela. Su primera manifestación en este capítulo tiene lugar en 1947, cuando tiene ocho años. Vuelve a aparecer en el capítulo 11, situado veinte años después en 1967, y en el capítulo 15, para cerrar la novela a finales del siglo XX. Conviene recordar que este personaje desborda *El espíritu del páramo* y le volvemos a encontrar en otros momentos de la trilogía *El reino de Celama*.

Rapano se desplaza con su tío de la Vega a Celama, lo que supone que el lector entra con el personaje en este territorio. El desplazamiento en sí es clave, pues la construcción de Celama desde la perspectiva del personaje subjetiviza el territorio y aporta una significación simbólica de más relieve. Hasta entonces, Rapano no había salido de las hectáreas del Caserío situado en la Vega, por lo que la entrada en Celama supone para él un cambio de «hemisferio» (86) que le aleja del único espacio conocido. La Vega es para él un espacio sentimental, no tanto por el verde de la Vega en sí como por ser el lugar en el que ha vivido. Este punto es de interés, pues, según Rapano, la sensación de alejamiento y pérdida que conlleva alejarse del espacio propio la experimentan también los que emigran de Celama, a pesar de que este lugar esté marcado por la supervivencia y la aridez. Se destaca así la importancia del espacio propio, al margen de que sea de regadío o de secano y pueda asociarse con la dureza de la supervivencia. En efecto, veremos que también los de Celama se emocionan al alejarse del espacio característicamente árido y desolado, aunque pudiera pensarse que las imágenes que verbalizan dicho espacio en este capítulo son poco invitadoras: Celama es la «viveza de la desolación»; «nada variaba en el erial que configuraba la capa de un mendigo abandonada porque ya no servía para cubrir la miseria, ni los sarmientos leñosos que a veces arañaban una hectárea con igual penuria y parecido sufrimiento» (91). Al alejarse de la Vega, Rapano reconstruye un nuevo sentido de la realidad que le rodea introduciendo un peso anímico sobre el espacio.

Frente a una forma de significado esencialista y totalizador, es observable que la construcción del significado de la Llanura (nombre por el que también se conoce Celama) se produce aquí en un plano personal, de acuerdo con pautas estructuradoras de la realidad en razón de la diferencia: «Supe enseguida lo que era la Llanura. Lo supe en comparación con lo que la Vega suponía en mi recuerdo, quiero decir que la Llanura no era nada en sí misma, ni siquiera me la imaginaba mirándola, sólo en comparación con la Vega, el contraste de los sembrados y el erial, la pobreza y el desorden» (89). Muestra así el autor especial atención a la conceptualización de la realidad y su forma, basada en el contraste y la diferencia.

Capítulo 3

Un supuesto ingeniero alemán anuncia una nueva técnica para excavar pozos y sacar agua, lo cual, se dice, corroboraría lo que algún geógrafo y un ingeniero habían dicho sobre la existencia de agua subterránea. El progreso, la inteligencia y la ingeniería germana se ponen al servicio de una quimera que añadirá una nueva decepción a los intentos de «sangrar la tierra» para aliviar la supervivencia. El lugar que elige

el alemán para poner a prueba su máquina es un pedregal
«donde alguna vez hubo vides y el asiento de las cepas todavía
mostraba la huella herrumbrosa» (93). Fracasado el intento,
el paso del tiempo incorpora la máquina en el paisaje. La
huella herrumbrosa de las cepas y las clavijas corroídas de
la máquina (sus «clavijas se corroyeron», 99) son signos que
traducen el fracaso y a la vez la lucha ante la adversidad.

CAPÍTULO 4

Relata las vicisitudes sentimentales de una pareja (Elirio
y Vina) cuya relación, obstaculizada a lo largo del tiempo
por circunstancias adversas, finalmente termina cuando
Vina cede al peso que imponen el riesgo y la desolación de
continuar una relación condenada a mantenerse en secreto.
Asistimos al último encuentro de los amantes secretos bajo
la mirada del perro del marido, que en el papel de testigo
busca transmitirle a su dueño la infidelidad de su esposa. El
perro ocupa un papel destacado en el relato y su focalización
acerca los incidentes de la historia a un plano concreto y
personal.

Elirio, el amante secreto, tuvo que emigrar dos veces de
Celama y su larga separación acabó afectando su percepción
del lugar. Al principio, Celama representaba la armonía, el
orden, el sentido, y alimentaba la nostalgia del que se iba.
Pero con los largos años de ausencia, «el canon interior de
su mirada y memoria se había borrado» y Celama acabó
representando «un brumoso pasado lleno de incertidumbres
y sufrimiento. La paz de la Llanura era más exactamente la

de la pobreza, y en la cansada observación del emigrante enfermo que volvía derrotado, era el desorden lo que estructuraba aquellos pueblos dejados de la mano de Dios» (102). El espacio anímico y conceptual que deja traslucir la interioridad es a la vez una concepción de las cosas: «La Llanura incrementaba el vacío invernal, la inclemencia de la nada que se esparcía con la misma parsimonia con que días después caerían los copos de una nevada que inundaría el alma de los amantes» (105).

Capítulo 5

Cuando la lenta agonía del viejo Rivas llega a su fin, pide ver lo que más le gusta de Celama: el lugar donde de chaval plantó un cerezo, las vides que plantó su padre y la Piedra del Rayo. El relato subraya la desolación del último viaje y de los lugares que la memoria del viejo ha guardado a lo largo de los años. El lugar donde está plantado el cerezo es un «oasis bastante desamparado» (111); las vides, por su parte, son «vides abandonadas que todavía durante algún tiempo continuarían dando algunos frutos malogrados» (112).

De las tres hijas que tiene el viejo Rivas, la única con la que tiene una relación afectuosa basada en el cariño es Menina; las otras dos parecen tener con él un trato interesado y sometido al peso de las convenciones sociales. Al final del viaje sólo se quedarán con él Menina y Benigno (el chófer que en el papel de Caronte conduce al Lear del páramo a la despedida que antecede el último viaje) y los dos son testigos de la exclamación final del viejo Rivas: «Páramo

de mi vida… —musitó con los ojos extraviados en el erial
que la mañana alzaba como una ola de piedra y sufrimiento»
(113). Celama es así el territorio íntimo y añorado que el
personaje guarda como orientación y orden ante la agonía
y la muerte.

Capítulo 6

Roco se enfrenta a su miseria con cierta ironía cuando
invita a los acreedores a un banquete y les dice que su única
esperanza de cobrar está en el sueño de su hija, según el cual
el rey Midas le promete convertir siete piedras en oro. Roco
comunica a los siete comensales que se trata de una piedra
para cada acreedor y que sólo les queda esperar que el sueño
se convierta en realidad. El anfitrión ha ganado su fama
de jugador y manirroto a base de perderse con los naipes
y despierta más animadversión que confianza. Uno de los
invitados considera que la invitación responde a «la quimera
de un pobre desgraciado» (117); otro dice que los sueños sólo
sirven para «hacer de la vida una estúpida quimera» (122).

El contraste entre la toponimia y la realidad que nombra
es especialmente sugerente, sobre todo en el lugar llamado
la Hemina de Midas, nombre que señala un lugar caracte-
rizado como pedregal, en el que uno de los invitados ve «la
piel de la miseria» (115). La sombra la proporcionan «dos
frutales arruinados» (115) y la luz primaveral saca un «brillo
oxidado a las piedras» (116). El relato subraya estas asocia-
ciones al repetir que cuando los acreedores se dirigían al
lugar por el camino polvoriento, «todos pensaron en la piel

de la miseria», en la «tierra que brillaba oxidada, como si la luz primaveral contribuyese a iluminar la herrumbre de su abandono» (117).

Capítulo 7

Es significativo que uno de los pocos hilos narrativos que viajan fuera de Celama lo constituya precisamente la guerra. Se trata de la Segunda Guerra Mundial y de la División Azul[1]: «En Celama habían sido tres o cuatro los reclutados con el engaño de un destino aventurero, en aquella División que ayudaría a los alemanes en Rusia» (123-124). Uno de los reclutados fue Verino, a quien su madre esperó doce años después de su partida y de habérsele comunicado oficialmente que su hijo habría muerto o definitivamente desaparecido. Alimentó su esperanza una carta de Verino en la que dio la impresión de haber encontrado a un compañero que podría sustituirle y volver para que su madre no perdiera del todo a su hijo. Los hilos de la historia son inciertos, abundan «dudas y figuraciones»; en definitiva, se trata de una «historia incompleta» (125).

Al mismo tiempo, hay que notar que el relato sugiere más de lo que dice, lo cual permite dar forma, aunque enigmática, a los móviles de la conducta de los personajes. Por un lado, la madre de Verino y sus esperanzas y deseos marcados por

---

[1]   Unidad militar de voluntarios españoles que, durante la Segunda Guerra Mundial, luchó integrada en el ejército alemán contra los soviéticos.

el dolor; por otro, se alude a los móviles que mueven al ruso de Ucrania a viajar a Celama y a presentarse ante la madre que espera a su hijo. Ella piensa que no se trata del viaje de quien cumple una promesa sentimental, sino de quien busca expiación y arrepentimiento. La madre, enternecida cuando llega y temerosa de la causa del viaje, verá confirmadas sus conjeturas en las palabras, no exentas de ambigüedad, que el ruso le dice: «a lo que vengo es a pedirle perdón por haberlo dejado morir» (130). Palabras que a la vez que dan forma al relato añaden un pliegue más de opacidad.

Capítulo 8

Relata los accidentes de una boda varias veces aplazada por los noes de los contrayentes, que así responden llevados por la contrariedad primero y por la venganza después. El no rotundo de Pruno tal vez se debió a la tensión que generó entre los novios el hecho de que ella, Belsita, hubiera llegado tres cuartos de hora tarde. Los invitados y familiares observaron estupefactos las bofetadas y las reacciones verbales que se escuchaban por primera vez en una iglesia de Celama. El desconcierto aumentó al segundo intento fallido por el no vengativo de la novia. Al final, cuando Belsita secundó el sí de Pruno, la boda adquirió «un aire disparatadamente festivo» y con el paso del tiempo «fueron [...] uno de esos matrimonios tradicionales, padres de familia numerosa» (143).

La reacción de los familiares y testigos establece una continuidad entre el ayer de la tradición y el presente del ritual de la ceremonia de la boda. Los dos tiempos confluyen, aunque sea con la ruptura de los intentos fallidos, en un mismo cronotopo. Es el cronotopo que estructura el paso del tiempo con referencias a rituales religiosos como la primera comunión, las bodas, referentes religiosos como el pecado o prácticas religiosas que ocupan un lugar destacado del relato. Lo que estas prácticas transfieren y producen es la naturalización de anhelos y deseos que acaban por afirmar estructuras sociales y formas de pensar asentadas en la tradición. Por eso, tras los dos intentos fallidos todos compadecen a las familias y aceptan gustosos el banquete, contentos además de que el día les hubiera proporcionado «un espectáculo de los que habitualmente no se ven y luego se cuentan» (142-143).

El desarrollo de los hechos se valora bajo la luz de parámetros literarios. Se habla de un «primer acto» precipitado, de «malas comedias», y a algunos invitados desconcertados se les compara con «los espectadores de los dramas más emotivos» que tienen suspendido el ánimo. Lo relatado se convierte así en un repertorio de situaciones comunicativas que la educación sentimental ha ido solidificando en una mentalidad y en unas convenciones sociales.

Capítulo 9

En contraste con el disparate festivo y lleno de luz que impregna el capítulo previo, este relato se desplaza con tono meditativo a la oscuridad de Celama. El médico Ismael Cuende salió de noche para cumplir un aviso urgente y en la oscura travesía sintió el vacío y la nada. La anciana ya

había muerto cuando llegó. La relación personaje-espacio
se manifiesta llena de sombras que ensanchan lo tangible al
traducir el desasosiego del médico. Absorto en la contemplación del espacio, la naturaleza y el silencio desempeñan
una función caracterizadora del personaje sugiriendo una
dimensión de profundidad metafísica: el fondo de la noche
es un «espejo fatal de las desazones de nuestro interior más
oculto» (150).

El médico ingresa en el ámbito de los sueños, que son
expresión de ansiedades disimuladas u ocultas y tienen su
consistencia. De ahí que sus temores provengan «con más
frecuencia de la inquietud del sueño que de las amenazas de
la vida» (147). Los sueños, que iluminan espacios inaccesibles
durante la vigilia, ejercen presión sobre quien sueña inci-
tándole también a interrogarse sobre ellos, a conformarlos
en imágenes. Pero a la hora de abordarlos, la realidad se
eclipsa y, bajo los efectos del sueño, el espacio de Celama
cifra sensaciones de sombra que permiten a Ismael reconocer
el horror sin poder llegar a nombrarlo. El espacio oscuro
traduce un estado de ánimo a la vez que es determinante
del mismo. Se produce así el encuentro con lo real en forma
de vacío interior.

En su célebre formulación, que une la filosofía con la
lingüística y la psicología, Lacan afirma que lo real cae fuera
del orden simbólico y de la significación, fuera del mundo
de las palabras que crean el mundo de las cosas —«It is
the world of words that creates the world of things» (1977:
65)—. Una idea que apunta también a la posibilidad de
que la percepción del sujeto en vez de aclarar las cosas las

enturbie y quede sometido a ellas, a lo real en sí, fuera de las palabras. En el caso de Ismael Cuende, leemos: «tuvo la sensación de que la cabeza se le iba, como si el vacío de la noche hubiese entrado en ella hasta hacer desaparecer todo atisbo de conciencia». Y sintió el vértigo de que todo «en su interior eran pérdidas, huellas sin identidad que se congelaban porque no remitían a ningún recuerdo, ya que era la nada la que sustituía a la inteligencia y a la memoria» (148). Lo real es aquí el sentimiento de vacío, fuera del orden simbólico, de la inteligencia y de la memoria.

Capítulo 10

El odio de dos estirpes se agravó ante la disputa por la Gallina Cervera, una gallina que apareció y despertó el deseo de posesión de las dos familias. Al sentirse deseada y admirada, aumentó su coquetería y vino a ser una medida del odio y la envidia que enfrentaba a las dos familias irreconciliables. La llegada de la Gallina Cervera exacerbó el enfrentamiento hasta el punto de que la violencia pudo haber acabado en exterminio. Lo evitó un pacto que no convenció a ninguno de los contendientes. De este modo, al final queda abierto un horizonte en el que las familias irreconciliables continuarán proyectando su antagonismo. Destaca el registro narrativo cómico y grotesco para dar cuenta de sucesos violentos en los que late la tragedia de enfrentamientos que no ocultan formas de antagonismo presente en la historia del páramo, que, de modo figurativo, es también la de España y la de la humanidad.

CAPÍTULO 11

El personaje Rapano, que fue introducido en el capítulo 2 cuando tenía ocho años, atraviesa el marco espacial y temporal allí dramatizado y reaparece aquí veinte años más tarde, en 1967, cuando ya ha llegado a Celama el agua del Pantano. Volvemos a encontrarle a finales del siglo XX en el capítulo que cierra la novela. Su reaparición ofrece claves para ordenar la línea temporal del conjunto.

Su madre, a la que visita en un asilo, le reprocha que haya acabado cogiendo afecto al secano de Celama, siendo como él de la Vega. Rapano, que es pastor, ha echado raíces a base de andar por la tierra y de reflexionar, «porque el pastor es el mayor solitario, y la soledad no es mala compañera para comprender el mundo» (166). Mientras que su madre busca la quietud y su perspectiva es sedentaria y fija, Rapano representa la aspiración al conocimiento por medio de la profundización en la tierra, y, a la vez, por la ampliación de perspectivas que introducen el movimiento y el relativismo en sus planteamientos. Sobre la fuerza de la tierra, dice: «lo que se suda es lo que se quiere, cuando no hay otra cosa» (166). Hay que notar que en la segunda parte de la sentencia la fuerza de la tierra, potencialmente, podría aligerarse. Su perspectiva asume un grado de relativismo, lo cual se manifiesta de modo reiterado cuando replica a su madre que si en la Vega se sueña que lo malo sucede en Celama, a él, cuando de chaval soñaba en Celama, lo malo le sucedía en la Vega. Es decir, plantea la dinámica del deseo y sus carencias en términos que relativizan la concepción esencialista de su madre, para quien las peores cosas que se sueñan tienen necesariamente que ocurrir en Celama.

Capítulo 12

De acuerdo con la temporalidad de la historia, lo relatado en este capítulo es anterior a lo presentado en el capítulo previo. Si en el capítulo 11 el pantano es ya una realidad dramatizada que forma parte del presente de los personajes, aquí se presentan las expectativas que crean el anuncio de la llegada del agua y los primeros momentos tras su llegada.

La expectativa del agua que llegará del Pantano no está exenta de ciertos temores y de culpabilidad, aunque esta «mala conciencia o culpabilidad» (172) es excepcional. Un viejo considera que la suerte de Celama proviene de la desgracia de los pueblos que morirán anegados por el Pantano. El narrador dice que el agua despertaba también cierto temor por la idea de pérdida que traía consigo el agua, en la medida en que borraría «la única memoria de la que los habitantes de la Llanura eran dueños» (173). A pesar de que la llegada del agua trae consigo un aire festivo que borra la sensación de culpabilidad, el temor de pérdida permanece, tal como se refleja en las palabras de uno de los viejos: «Lo único malo del agua es que también definitivamente anegará lo que durante tanto tiempo fuimos» (175). El hecho de que las voces interrogativas sean las de unos viejos resalta un eje generacional en la configuración del relato.

Capítulo 13

La narración retoma el momento tras la llegada del agua y sitúa en él temas equivalentes a los del relato anterior. Ahora se cuentan los hechos desde un ángulo que interioriza la perspectiva y conecta, a través de los sueños, con «la experiencia más solitaria y secreta de nuestra condición» (177). Con excelente ironía que pone el significado en movimiento, el hilo argumental gira en torno a un timador que cobra un impuesto a la gente de Celama abusando de la mala conciencia que algunos tienen por haberse beneficiado del agua a costa de quienes sufren la desgracia de ver sus pueblos sumergidos por la construcción del pantano. El timador es un falso fantasma que se hace pasar por un Cobrador de Tributos y, en el papel de justiciero, cobra un tributo con el que permite que quienes disfrutan de los beneficios del agua aligeren su mala conciencia y dejen de tener pesadillas. Fantasma inductor de pesadillas cuya verdadera identidad permitirá interpretar la casualidad como causalidad y las visiones como apariciones calculadas con un propósito definido.

Capítulo 14

El anunciado aumento del ritmo de producción se hace realidad y el dinero permite celebraciones con las que se busca olvidar la miseria anterior. Un padre y sus tres hijos celebran el fin de la miseria tratando de sacar del dinero la felicidad máxima. Comida, juego, sexo, alcohol y velocidad unidos para olvidar la miseria. La ansiedad por celebrar la riqueza produce una dinámica disparatada cuyo fin, sin embargo, no desembocará en la felicidad deseada.

El relato presenta signos que ponen en tela de juicio el logro del estado de plenitud que alocadamente persiguen. Uno de los hijos desconfía del dinero en sí: «la idea que Rufo tenía del dinero era la de un bien tan escaso que ni materialmente llegaba a apreciarse, se hablaba de él pero no se le veía» (188). Al padre le asaltan dudas sobre los bienes que ha de traer el regadío: «la costumbre de la pobreza lima cualquier ambición» (190).

Por momentos parece aflorar la atracción por la muerte como una fuerza que les impulsa más allá del imposible placer. Al final, el paisaje «de la madrugada había perdido el fulgor de la oxidación y el brillo muerto de la lepra» y la atracción de los chopos vence el sueño del conductor, «ya dispuesto a entregarse a ellos» (195). El deseo y el dinero tejen la desgracia de quienes no pueden salir de su precariedad. La elementalidad de hechos y conductas coexiste con los cambios de una evolución histórica y con la complejidad de una identidad situada en un territorio condicionante.

Capítulo 15

En el capítulo 11 vimos que Rapano, que es pastor en Celama, ha echado raíces en este lugar a base de andar por la tierra y de reflexionar, «porque el pastor es el mayor solitario, y la soledad no es mala compañera para comprender el mundo» (166). No se precisa la distancia temporal que separa el diálogo de Rapano con su madre en 1967 del monólogo con que éste cierra la novela, pero el paso del tiempo se traduce sobre todo en su estado de ánimo y en la conciencia del transcurso temporal y sus efectos sobre el cuerpo. Si en el pasado el conocimiento era una aspiración, ahora su pensamiento se manifiesta abatido: «ese abandono que es la desgana que tanto tenemos los que perdimos la ilusión, o porque la perdimos o porque nos despojaron de ella, a base de que la vida perdiera el sentido» (204). En otro momento piensa: «no hay casi ningún conocimiento de causa entre los hombres de este mundo, aquí cada uno está a lo suyo» (202).

Pese a su descreimiento, no ha desaparecido su aspiración a cierto grado de conocimiento, aunque la certeza del mismo quede en entredicho: «es el conocimiento que las cosas requieren el que me interesa, porque el mundo posiblemente no habrá quien lo entienda, qué hostias voy a entender yo, pero se intenta aunque sólo sea para pasar el rato» (202). Se resiste así a dejarse caer en el abandono total.

Es precisamente en este estado de ánimo en el que de sus palabras se desprende una defensa de la imaginación que apunta a su carácter terapéutico: «la mayoría de las vidas son aburridas y se aguantan para vivirlas, para contárselas a otros no se pueden soportar, las mejores hay que inventarlas, no queda más remedio» (203). Ahora bien, la invención que se plantea en la novela no es ajena a la experiencia, tal como vemos en el hilo argumentativo que propone Rapano a continuación: «y es que si ahora, aquí tumbado al pie de la acequia, que el rumor del agua es de lo más agradecido, hiciera un esfuerzo por inventar la mía, a lo más que iba a llegar es a recordar otra vez aquella mañana de enero en que vine a Celama» (203). Experiencia, imaginación, memoria y lenguaje se aúnan y hacen resonar aquella mañana de enero, que es el comienzo de la historia dramatizada en el capítulo 2 y que ahora llega a su término. La nueva vida de Celama es incierta como tantas otras vidas, «con el agravante de que ésta no parece que cuente para el futuro» y «ya es en buena medida una vida muerta, del pasado» (204). Sostiene de este modo que el que cuenta transfiere al lenguaje experiencias propias, vividas o imaginadas. Vemos también que el pensamiento transfiere los sueños —a los que tiene «tanta prevención» (200)— y que junto con lo vivido e inventado están las opiniones y los juicios que conforman una visión del mundo. El lector puede comparar la de Rapano con las historias que anteceden a este monólogo final. Porque, en efecto, el perspectivismo es un elemento estructural a base de tejer relatos que dan la sensación de contar lo vivido, lo presenciado, lo imaginado y lo soñado por voces con rasgos expresivos propios.

2.3. *La trama*

Trama conceptual. Progresión de la escasez a la carencia

Aunque el espacio es un elemento determinante de la concepción y de la vida de Celama, en la actitud de los personajes y en las mismas circunstancias que sobrevienen existe una progresión que acentúa el tono apesadumbrado de la novela. El deseo vive sometido a la escasez y a la supervivencia, a la vez que está presente la aspiración a resistirse a las circunstancias. Pero en el último relato se cuestiona la posibilidad de un conocimiento que guíe la acción y se busca reducir el movimiento a favor de la quietud sin horizonte. Esta dinámica del deseo indicaría cierta progresión que daría forma a la trama conceptual de la novela. En el reparto de la intriga están, además de Rapano, los otros personajes, desde los individualizados hasta los meros figurantes, y están los espacios cuya significación contiene claves interpretativas.

En los primeros capítulos se marcan las insuficiencias materiales de los personajes, asociadas con la aridez del paisaje y con la escasez del agua; los personajes se afanan para salir adelante en espacios marcados por un aire de comunidad. Con la llegada del agua a Celama, parece que el regadío y la abundancia no se acompañan de un bienestar íntimo. Según un personaje que lucha eufórico por borrar la miseria en la que ha vivido, «la costumbre de la pobreza lima cualquier ambición» (190). Si en los primeros capítulos los personajes tienen planes encaminados a mejorar, aun cuando se trate de planes ilusorios, en los últimos capítulos los planes son sustituidos por hechos consumados y desde ellos se interpreta el presente y la falta de horizonte futuro. En el capítulo 14, por ejemplo, si bien predomina el ambiente festivo y de celebración, con dinero en abundancia, los personajes parecen marcados por una atracción hacia el abismo; la celebración les muestra atraídos por fuerzas destructivas que acabarán con ellos, como si tuvieran asignado de antemano un papel en una trama definida. En el capítulo 15, la vida es un guión que ya está cerrado y, por lo tanto, se vive de acuerdo con un programa constituido de antemano. Si al principio se luchaba por sobrevivir y el guión de la vida estaba abierto, aunque fuera dentro de un horizonte limitado y precario marcado por las condiciones materiales de la existencia, ahora se cumple el papel que asignan los hechos consumados. Mientras que en la supervivencia se lucha con las limitaciones, la penuria y la precariedad, en el tramo final el guión está escrito y no hay cálculo ni predicción. Rapano asume resignado la quietud fúnebre que aspira a borrar el deseo.

Espacio anímico

Hemos visto que los estudios críticos proponen el espacio como un elemento central en la articulación del significado de la novela. Mencionan especialmente su presencia árida como algo permanente y anotan los cambios que trae consigo el agua del pantano. Ahora bien, la aridez material es una constante que coexiste con el hecho narrativo de que dicho espacio es esencialmente cambiante porque es un espacio anímico: no es el mismo a lo largo del tiempo y su significación es variable en razón del personaje que lo habita. La preeminencia del espacio sobre otros componentes de la novela es rotunda en la medida en que la vida social y la percepción de la identidad individual son inseparables del ámbito territorial y de la lucha que supone la supervivencia en un medio hostil. Pero cuando las aguas del pantano lo transformen y pase a ser un territorio fértil, entonces éste choca con el espacio árido que permanece en la memoria de quienes habitan en él. Dicha dinámica crea un espacio vivo y a la vez intacto y permanente. Vimos en los últimos capítulos que el desamparo de quienes lo habitan se recrudece cuando el paisaje áspero de la supervivencia se ve sustituido por el del regadío y la abundancia que traerá consigo el agua del pantano. Lo que se impone es la memoria y la realidad de un modo de vida. En el retrato de la segunda parte del siglo XX hay una crítica a los olvidos y contradicciones de la modernidad. La novela de Luis Mateo Díez los guarda vivos, en tensión.

Cuento-novela. Fragmentación y sistema de signos

Es de esperar que los relatos se lean de forma conjunta dentro de la novela, aunque, según las circunstancias, también pudieran leerse de forma aislada. Por otro lado, el lector pudiera leer esta novela de forma independiente, sin integrarla en *El ciclo de Celama*. Con todo, aunque la lectura de las partes se enriquece si se integran en la trilogía, *El espíritu del páramo* admite una lectura autónoma, portadora de sentido.

Respecto al subtítulo de la novela, «Un relato», ya se apuntó que García-Posada lo considera un elemento caracterizador, una «denominación genética» cuyo resultado es un «libro compacto». Para Basanta, el subtítulo «destaca por adelantado la fuerte unidad interna que da cohesión a la diversidad de historias que se cuentan» (1996: 11). Por lo tanto, el subtítulo incitará a enlazar la diversidad mediante la busca de un hilo unificador en el que se pongan de manifiesto un juego de variaciones que a la vez deje translucir la existencia de constantes.

No está exento de tensión el juego genérico que pudiera derivarse del binomio novela-cuento. Merino escribe sobre *El espíritu del páramo*: «la primera organización novelesca de Celama [...] unificaba una serie de relatos diferentes»; pero afirma también que es «un libro formado por 15 relatos independientes» (2005: 266). Se trata, entonces, de considerar esta tensión como parte del propio proceso interpretativo.

En este sentido, no se engañe quien se acerque a la novela pensando que los relatos componen algo así como una sucesión de momentos claramente delimitados o como una secuencia de la vida de un lugar. Son más bien aproximaciones fragmentadas, calas interpretativas. Lo principal es el lenguaje creador de formas y valores a los que se otorga realidad mediante diferentes estímulos procedentes de experiencias individuales que conectan con el campo cultural de nuestro tiempo. Los personajes hablan desde su propia experiencia, participan de su tiempo, o, en ocasiones, son testigos que se afanan en captar lo que les rodea. Se impone la pluralidad a la vez que se crean resonancias internas y los componentes se interrelacionan; además, algunos componentes del texto se reiteran y establecen una continuidad explícita (como ocurre, por ejemplo, con el personaje Rapano; también con el espacio). El elemento estructurador viene a ser la yuxtaposición, en el sentido de que los relatos se yuxtaponen fragmentados, sugiriendo múltiples relaciones entre el significado de los personajes y las situaciones, todo ello sobre la base de la unicidad espacial y de una temporalidad integradora de la fragmentación.

Por eso se hace necesario plantear que si en *El espíritu del páramo* puede reconocerse una fuerza narrativa unificadora, el movimiento centrífugo permanece y crea tensión, produciendo así un discurso que sintoniza con debates contemporáneos. Es sabido que frente a los sistemas totalizadores de la modernidad, emerge un pensamiento postestructural que remite a prácticas de nuestro tiempo, marcadas por la fragmentación y la plurivocidad, alejándose así de la totalización monolítica. Veamos ahora varios signos caracterizadores que permiten ajustar la lectura (algunos de ellos transferibles, valen para otras novelas de Luis Mateo Díez).

Frente a novelas donde hay un hilo argumental que sostiene el orden de la intriga, en *El espíritu del páramo* hay una manifiesta fragmentación del hilo de las historias. Se trata entonces de una constelación de historias, que a veces (pocas) se entrecruzan en el reparto de la misma intriga y otras veces quedan unificadas por resonancias temáticas, por el tono o por unas coordenadas espacio-temporales unificadoras. Esta forma narrativa pide especialmente un lector cómplice, dispuesto a interactuar con el texto. El significado queda segmentado, no se avanza con los mismos personajes y el lector empieza a sospechar que no acabará por consolidarse en un cierre final. El hilo argumental no se ajusta a una línea evolutiva que, a partir de un principio enigmático o incierto, progrese hacia un final esclarecedor.

Una de las consecuencias más importantes de esta dinámica es que la orientación teleológica de la escritura y de la lectura —que conciben la historia como progreso— coexiste de modo tenso con esta fragmentación en la que la comunicación queda abierta en suspenso, con la resolución diferida. En vez del encadenamiento narrativo que progresa hacia una finalidad, se impone lo episódico, cuya finalidad permanece incierta y está más allá de la temporalidad dramatizada en los relatos. Su lectura crea así la impresión de un tiempo vivo, en presente, sin aparente dirección. La lectura es entonces un tránsito hacia una luz final que no acaba de llegar por la intriga en sí misma. Por otro lado, es cierto que la trama está organizada y que sus componentes están sujetos a un artificio articulador del texto. En efecto, al final se impone el declive fúnebre de la cultura rural, lo cual sitúa el mundo dramatizado dentro de un contexto que aporta significado al conjunto.

La fragmentación da lugar a la presencia directa de las voces de los personajes, los cuales tienden a caracterizarse por su manera de hablar. La riqueza de registros verbales apunta al relato de peripecias; otras veces, la voz destaca como vía de acceso a la interioridad del hablante y sus zonas más secretas, en las que lo subconsciente y lo irracional son elementos recurrentes. Con todo, si bien en ocasiones se adensa la textualidad a través del hermetismo y la opacidad, en su escritura la narratividad juega un papel importante como fuerza creadora del mundo novelado.

Progreso, subsistencia y productividad

El espíritu del páramo es un libro culto, en el sentido en el que cuenta el mundo, la mentalidad y la cultura en que aparece la novela. Como apunté al comenzar esta introducción, suscita debates contemporáneos como el fin de la cultura rural, el peso de la tradición, el desarrollo tecnológico y el cuestionamiento de la idea de progreso deshumanizado, las tensiones de la posmodernidad, el agua, su escasez y aprovechamiento y los temas del medio ambiente y la cultura del campo, el desarraigo y la identidad individual y social. Forma parte de la tradición narrativa proyectada hacia el pensamiento, no sólo porque a veces exprese de forma meditativa ideas que directamente tocan estos temas, sino, y sobre todo, porque se cuentan asuntos en los que se dramatizan.

Cuando en una entrevista le preguntan al autor acerca de la relación de Celama con los temas de actualidad, su respuesta es integradora:

> *P:* ¿La violencia del 11-M ha disipado las brumas de Celama?
> *R:* Yo soy un narrador de historias. Me gusta contar la vida y, sobre todo, las fábulas que expresen la complejidad y el sentido de la misma. Las brumas de Celama pueden compaginarse con el humo de las explosiones. Celama es un espacio mental, un espejo del tiempo que se eterniza (Francisco 2006).

Mediante el testimonio de unos personajes, la novela es la reconstrucción de formas de vida, identidades y sentimientos, marcados por la escasez y la sequía, que se remontan a unos orígenes perdidos en el tiempo y que, con la llegada del agua y del bienestar material, concluyen en un nuevo mundo cuyos valores sociales agravan la inestabilidad de Celama. El presente se configura en torno a índices de productividad y está marcado por la velocidad y el progreso técnico. Es un progreso ajeno a valores que consideren al individuo en su entorno; la productividad y la abundancia generan a su vez nuevos estragos entre los habitantes acostumbrados a la escasez y la subsistencia. El final de la novela participa de costumbres contemporáneas y apunta a la seducción y al desengaño de un progreso vacío, de un deseo sin plenitud y marcado por la carencia.

El agua, su escasez, usos y abusos, su distribución y aprovechamiento son nociones socioculturales y políticas. Esto es más cierto cuando la novela plantea la disponibilidad de un bien natural, el agua, y le confiere una significación simbólica clave en la definición del lugar y de la identidad de sus habitantes. Al describirse su comportamiento se revela su íntima relación con la subsistencia y con la hostilidad del espacio, apareciendo cambios en el rumbo de la intriga cuando se pasa de la escasez a la fertilidad con agua abundante. Así ocurre al aludirse al declive de la cultura rural y su paradójica coincidencia con la explotación del agua, lo cual, según apuntamos, también es un elemento desestabilizador para quienes lo natural es encontrarse ocupados en tareas de subsistencia definidas por la escasez. El instinto de supervivencia, especialmente el marcado por las condiciones materiales, se muestra esencial condicionamiento de la identidad, sobre todo cuando con el paso del tiempo acaba por arraigar de modo profundo, hasta el punto de seguir vigente cuando en las condiciones de vida materiales se ha pasado de la escasez a la abundancia.

En un mundo en el que el agua es un elemento portador de progreso y bienestar, algunos habitantes se aferran a la identidad de la subsistencia como fuente de sentido de su vida. Es decir, con la llegada del agua no desaparece la identidad asociada con la precariedad, sino que se refuerza su significación. El mito del progreso unido al bienestar es desmentido por la experiencia. La cuestión que se plantea entonces es la interacción entre identidad, arraigo territorial, carencia, bienestar social y satisfacción personal. Es importante notar que la conciencia territorial no se expresa con categorías nacionales ni regionales, lo cual no impide que las raíces del lugar se asocien con una forma de vida y sean fuente de identidad. En este sentido, la novela no hace un uso ideológico del agua con el fin de privilegiar una razón política, de dar o quitar la razón a quienes tomaron una posición determinada en su día (quizá la novela sí pudiera suscitar preguntas sobre ello). Aunque el agua está omnipresente, por su escasez o por su abundancia, el agua en sí no proporciona una significación política unívoca de la novela, lo cual simplificaría una realidad textual más compleja. Y es que, en determinados contextos, antes que la política y la identificación colectiva o nacional, las fuentes de identidad y de sentido las aporta la tierra y su significación, la familia, la amistad, la soledad o la propia supervivencia en un medio hostil. Se trata de valores que

dan forma simbólica al territorio de Celama y lo dotan de
una intrahistoria.

Sueño, carencia y deseo. Pesimismo, vitalismo

La llegada del agua trae consigo fertilidad y aumento de la
productividad, pero uno de los viejos expresa sus temores sobre
los efectos que tendrá la llegada del agua: «Lo único malo del
agua es que también definitivamente anegará lo que durante
tanto tiempo fuimos, y a uno le agradaría que eso no se perdiera por completo» (175). Una posible explicación de esta idea
se encuentra en el eco de otra sentencia: «el espíritu es la razón
misteriosa que infunde en la carne su deseo de supervivencia,
siendo en este caso la carne la tierra, y el agua la muerte de esa
obsesión» (172). De ahí que en la «obsesión» de tener el agua
radique el «destino espiritual de Celama» (172).

Basten estas citas para mostrar cómo se condensa de forma
conceptual uno de los hilos conductores más importantes de
la novela. En la narración se abren varios incisos para registrar
con tono sentencioso el desasosiego de quienes no pueden
frenar la fuerza de un deseo que les condena a vivir marcados
por la supervivencia y por una satisfacción siempre postergada
o diferida. El deseo se cifra en una carencia que no llega a
satisfacerse. Esta problemática está textualizada de modo
recurrente en la novela y no estaría desencaminado quien
creyera discernir ecos del pensamiento postestructuralista, lo
cual no implica que el autor tenga presentes a determinados
autores, pues sus propuestas empiezan a circular de modo
anónimo en nuestra época.

El hecho de que el sujeto se encuentre sometido por un deseo que está arraigado en la carencia acaba conduciéndole al gradual deterioro y a la ruina. De ahí las lecturas de la novela ancladas en el pesimismo, pasando inadvertido, sin embargo, que la carencia permanente emerge como efecto del vitalismo, de la fuerza del deseo de supervivencia ante la adversidad. La lectura no ha de permanecer ajena al vitalismo que encierran muchos de los episodios relatados. Además, hay un interrogante que subyace en el texto y que incumbe a la supervivencia y a preguntas fundamentales de carácter existencial: por qué tratar de sobrevivir sabiéndose condenado a la precariedad, por qué, si el destino de Celama se ha decidido de antemano y los signos de deterioro y de ruina se imponen. Este conocimiento que se desprende de la novela es de carácter interrogativo y proviene de la manera como los personajes calibran su resistencia ante los obstáculos, incitando a su vez al lector a una toma de conciencia interrogativa. Se plantean así preguntas sobre la condición humana y su resistencia ante la adversidad.

Lejos de la satisfacción complaciente, de la plenitud estable y paradisíaca, en la novela asoma una perspectiva indagadora que, mediante la resistencia y la conciencia interrogativa, trata de aportar sentido a la inestabilidad y a la carencia. Los personajes que temen perder su identidad con la llegada del agua, ponen de manifiesto que no hay redención más allá del deseo marcado por la carencia. Aun así, se resisten al deterioro final. Recordemos que Rapano, el pastor, cuando pone en entredicho la certeza de lograr el conocimiento del mundo, no se deja arrastrar por la ruina sin ofrecer resistencia. Se agarra a la fuerza de la imaginación, que tiene la consistencia de la memoria del pasado, y se deja mecer por el rumor del agua. En las últimas líneas de la novela, ofrece resistencia a que le domine el recuerdo de los muertos, «la huella de los muertos de Burma, los muertos más penosos» (204-205).

Con la intranquilidad que le produce ese recuerdo, se despide en duermevela buscando reposo: «este modo de estar quieto es el que más me gusta y menos miedo me da» (205). Busca la quietud del sueño, pero en esta pulsión hacia lo inanimado, hacia la muerte, una vez más se impone un retroceso al pasado a través de la repetición de un recuerdo traumático como es la separación de su madre: «un nueve de enero, estaba más quieta mi madre en la cama de Valma cuando le dije adiós que en la cama del Asilo de Olencia cuando me la entregaron muerta, no se aprende a ser huérfano» (205). Hay que recordar que la fecha del nueve de enero marca la separación de su madre y a la vez es el comienzo del mundo dramatizado en la novela, orientando así la dirección de la lectura en un sentido que une el principio del relato con el final y tiene a la repetición como base estructurante de la novela. El hecho de que la mención del trauma de la separación cierre la novela manifiesta la compulsión a repetir momentos traumáticos, a la vez que señala el conflicto entre el deseo de vida y el de muerte.

El espíritu del páramo

Un relato

CERVOM ALTIFRONTVM CORNVA
DICAT DIANAS TVLLIVS QVOS VICIT
IN PARAMI AEQVORE VECTVS FEROCI
SONIPEDE

[De los ciervos los altos cuernos dedica a Diana
Tulio, a los que venció en la llanura del Páramo
lanzado en veloz corcel]
(Lápida 53 del Museo
Arqueológico Provincial[1])

---

[1] Lápida 53: se trata de un texto escrito sobre piedra de época romana.
La lápida que contiene la inscripción latina, El Ara de Diana, fue hallada
en 1862 a raíz del derribo del segmento de la muralla donde había sido
aprovechada como material constructivo. En la actualidad se encuentra en
el Museo de León. En la otra cara de la lápida se alude a Tulio Máximo,
delegado augustal de la Regio VII (León) a mediados del siglo II d. C. Puede
ampliarse información arqueológica e histórica en el estudio *Inscripciones
romanas de la provincia de León*, de Francisco Diego Santos (León: Diputación Provincial de León, 1986).

I

Lo que pudiera contar es casi lo mismo que lo que pudiera recordar de un sueño, o de un mal sueño para ser más exacto. A veces pienso que un memorial sería lo más adecuado: poner sencillamente las palabras al servicio de los recuerdos, ordenadas con el único fin de que el olvido no se haga dueño y señor de ese reino de la nada en que se convertirá Celama.

El tiempo fluye con la misma inercia con que sucumbieron aquellos años de desconcierto, cuando la vida no parecía tener un sentido muy claro y la gente volvía a marcharse casi en la misma proporción en que los que se fueron dejaron de volver. Poco a poco se nivelaban las presencias y las ausencias, como si los que permanecían tuvieran borrada la idea de los que marcharon y aquellos se conformasen con la distancia que los haría desaparecer para siempre.

Esas presencias y ausencias se nivelaban a la baja, como todo en Celama, confluyendo en una reducción de la existencia misma: cada vez menos y con menos ganas, en las mismas hectáreas hueras, eso sí, que semejaban alcobas de casas que no se usan, donde los muebles no llenan el espacio sino que lo certifican, porque lo que ya no vale no ayuda a llenar lo que le corresponde sino a corroborar el vacío, que es lo que mejor promueve el abandono.

En cualquier caso, el orden de lo que pudiera contar tiene un principio en la geografía porque Celama, a pesar de todo, sigue siendo un Territorio, quiero decir que lo que subsiste en ese reino desolado es la demarcación de una tierra situada en el centro de la mitad meridional de la Provincia, una franja perfectamente delimitada del resto de la Meseta por los Valles de los ríos Urgo y Sela. El Urgo pone límite a la zona en toda su longitud Oeste y el Sela por el Este. La planicie va perdiendo su carácter hacia el Norte, en la transición de la Cordillera, y también hacia el Sur, donde la aproximación de los ríos, que acarreará la desembocadura del Urgo en el Sela, origina mayor erosión y da lugar a una zona de vallonadas.

Los geólogos dicen que Celama está constituida por terrenos modernos que van del Neógeno al Cuaternario. Antes de que el agua del Pantano produjera la transformación, cuando la tierra mantenía la identidad de su pobreza más antigua, el relato de los geólogos resultaba más evidente y explícito en la aspereza del paisaje. Luego la tierra transformada recuperó un verdor que no le correspondía, ganó la suerte de un raro vergel agrícola, y alguno de los forasteros que cruzaban las hectáreas húmedas rememoraba otra antigüedad mucho más remota, de la que en Celama nadie sabía nada: la antigüedad de los bosques que recriaban en la espesura los animales más variados y de la que, al parecer, había constancia en una lápida dedicada a Diana por el legado de una histórica

Legión, allá en los años ciento sesenta después de Cristo. El legado se llamaba Tulio Máximo y dedicaba a Diana la cornamenta de los ciervos cazados en la Llanura.

Pero la descripción de los geólogos se atiene a esa otra aridez de las entrañas en la que el tiempo se mide en cantidades de oscuridad, quiero decir que la materia ordena su formación sin que el tiempo la controle, en cantidades de oscuridad mineral de las que nadie tuvo conciencia.

Dicen que sobre el relieve paleozoico se depositó durante el Mioceno, por toda Celama, un manto de arcillas arenosas con algunos cantos rodados de cuarzo. Y que en el Plioceno, arrastres masivos en forma de mantos cubrieron el substrato arcilloso con un nuevo depósito de materiales sueltos, rañas, constituidas por cantos de cuarcita, arcillas salubosas y limos. Del Cuaternario proviene la formación de los terrenos más recientes de terrazas y aluviales, donde será posible la actividad agraria. La erosión ha eliminado en algunas zonas las capas de rañas, dejando al descubierto retazos del substrato y dando lugar a suelos de tipo arcilloso. La pedregosidad es mayor y más abundante en los suelos que tienen su origen en los depósitos de rañas, más numerosos al Norte de Celama. Suelos ácidos en general, con poca materia orgánica y bajísimo contenido en elementos químicos fundamentales. La escorrentía resulta lenta y el drenaje interno también. La pedregosidad siempre dificultó las labores de estos suelos.

Tampoco sería preciso decir mucho más del destino primordial del Territorio, de esas vicisitudes que los geólogos enumeran como razones compaginadas en los distintos estratos que acumulan su pasado material, pero algo era necesario porque los habitantes de Celama siempre vivieron obsesionados por abrir los Pozos que sirviesen para sangrar la tierra en los reducidos espacios que les permitieran algún cultivo de sustento, entre la fiebre del secano y el pedregal oscuro que brillaba en la planicie como la roña de un cuerpo enfermo.

Alguien podría aventurar que en esa obsesión radica el destino espiritual de Celama, si convenimos que el espíritu es la razón misteriosa que infunde en la carne la inclinación de su deseo de supervivencia, siendo en este caso la carne la tierra misma que los geólogos analizan con esa especie de dictamen que determina su conformación en el tiempo, las vicisitudes de su naturaleza. El agua fue la medida de esa obsesión, tal vez porque las obsesiones más profundas son las que se construyen con lo que no se tiene, con el deseo de lo que se precisa con la urgencia de la necesidad extrema.

Los habitantes de Celama estaban hechos a la incuria de la sequedad, que era lo que los siglos legaban en la Llanura desolada. De esa incuria provenía su pobreza y en el intento de paliarla había, como siempre sucede, una lucha por la vida que animaba el espíritu con la fortaleza de su decisión, aunque el espíritu tampoco tenía muy claramente definidos sus poderes, porque el espíritu se difumina cuando la voluntad no supera el riesgo de la desgracia y el trabajo.

Además de esa razón misteriosa que infunde en la carne el deseo de supervivencia, el espíritu mostraba en Celama su condición fantasmal, también aceptada por los habitantes, porque bajo el manto de las rañas se presentía otro latido distinto al geológico, otra compaginación de estratos que sumaban los malos sueños y los peores augurios, las amenazas que componían en la sepultura de la tierra la morada de los pensamientos mortales. Por eso siempre hubo un temor incierto en el desarrollo de aquella obsesión, como si la tosca técnica de excavar los Pozos acarreara un riesgo añadido, más allá de los derrumbes y el fallo de los artilugios, en la emanación imprevista de un aliento fúnebre, en la maldición de un espectro dormido que no consentiría que no sufriera daño quien perturbara su sueño.

Siempre existió el sentimiento de que la muerte habitaba el subsuelo, y no en vano los muertos bajaban a ella, a recogerse en sus brazos una vez que los hacía suyos. Esa idea del espíritu fantasmal alimentaba el miedo de las noches de Celama, de aquellas en que la Llanura alcanzaba la vibración extrema del vacío, porque todos los años había media docena de noches en que la quietud hacía temblar la atmósfera como tiembla la nada cuando se congela. El miedo era una espina mortal que los más viejos sentían en su desamparo, y esa espina les cortaba la respiración generalmente en el límite del sueño y el sobresalto, alguna de esas noches.

Nadie comentaba nada de esa oculta y penosa emoción y en la conciencia de los habitantes de la Llanura, donde abundaban los creyentes, existía la imagen del Hades[1] como un paisaje de nieve donde se juntan el frío y la inexistencia para hacer de la muerte una morada blanca. También dicen

---

[1]   En la mitología griega, Hades alude tanto al antiguo inframundo griego como al dios de los infiernos.

que algunas familias que habitaron las hectáreas del baldío más pedregoso, donde se acumulaban los mayores depósitos de rañas, mantuvieron una extraña fidelidad a un ignorado Dios de la Muerte, que habría de promover el juicio final y la destrucción por el fuego y el agua del mundo sensible. Eso dicen algunos de los pocos que se atreven a contar algo de estas cosas, con más temor que convencimiento.

Lo cierto es que la Llanura no tiene leyenda, nada que enaltezca la memoria con la imaginación de quienes la habitaron para que, en algún sentido, haya un patrimonio idealizado que modifique el espejo de la cruda realidad. Celama aceptó el destino de su pobreza y la suerte y la desgracia de lo que vino después son avatares de ese mismo destino, porque de la pobreza originaria al abandono que se presiente no hay tanta diferencia, apenas el tiempo limitado de un mal sueño del que pueden rescatarse algunos recuerdos.

El tren de Olencia venía por el invierno de la Vega mientras iba amaneciendo y los ojos de Rapano podían distinguir una línea quebrada que perdía la continuidad en el horizonte, como si de cuando en cuando se cercenaran los límites de la tierra en la escotadura del firmamento.

La Vega era lo único que conocía Rapano y en su conciencia infantil no había otra idea del mundo que la que delimitaban las hectáreas del Caserío de Valma, donde el afluente menor del Sela alimentaba unos pagos escasos en los que había trabajado su padre.

—Era el nueve de enero de mil novecientos cuarenta y siete y yo tenía ocho años. El tren lo habíamos cogido en el apeadero de Valma, a eso de las seis y media, noche cerrada todavía. Desde el Caserío había no menos de seis kilómetros. Los anduve detrás de mi tío, como a lo largo del día habría de andar los veinticinco que restaban de Olencia al pueblo de Celama donde íbamos.

El invierno de la Vega mostraba la sombra parda de las huellas vegetales y los ojos de Rapano filtraban en el sueño, que le llevaba y le traía en el rastro sosegado del amanecer, esas huellas que eran como trapos depositados en la tierra, restos de la abundancia de la cosecha que la helada petrificó.

El tren no alcanzaba una velocidad razonable, avanzaba y se detenía sin necesitar la indicación de un apeadero, permanecía unos minutos quieto, con la respiración entrecortada, y los vagones entrechocaban en el arrastre como si exclusivamente tuviesen la intención de sobresaltar el sueño de algún viajero.

—Nunca había subido en él. En realidad, sólo lo había visto alguna vez en la dirección de Campos, cuando mi hermano Sepa y yo trepábamos a los chopos más altos para que mi madre no nos castigara. El humo que corría más allá de lo que podía apreciarse, había dicho Sepa, era el ordinario de Olencia…

Rapano no llegó a dormirse en aquel tramo ferroviario donde existía la mayor desproporción posible entre tiempo y distancia. En el acoso del sueño encontró el sosiego de una inconsciencia que reforzaba sus pensamientos infantiles, y entre ellos el viaje tenía una emoción especial, nada ajena a un sentimiento de temor y ansiedad.

La Vega corría ahora como había corrido el humo del ordinario, entre inciertos compases que reconvertían la velocidad en un ahogo. Por la ventanilla la veía iluminarse mientras el horizonte mostraba otra lejanía sin escarpaduras y en las sombras pardas brillaban las briznas de hielo.

—Serían las nueve cuando llegamos a Olencia. Al bajar del tren supe que estaba muy lejos, que el Caserío quedaba en otro hemisferio, la misma impresión que muchas veces me contarían los que emigraron de Celama. Puedo decir que fue en ese momento, cuando iba detrás de mi tío todavía por el andén, cuando se me humedecieron los ojos, lo que no había sucedido al despedirme de Sepa y de Amparo la noche anterior, ni al mirar a mi madre inmóvil en la cama desde que mi padre hubo muerto. En el Caserío de Valma, a esa hora, habría un tordo amaestrado que me buscaba por las habitaciones y al que Sepa tendría que echar de casa a escobazos diciéndole que ya no tenía dueño.

El mismo invierno de la Vega, que en igual proporción arruinaba la fronda de las choperas en las márgenes del Sela que la punta de las almenas de Coyanza, erosionadas en multitud de esquirlas, se extendía como una mano muerta hacia el interior que orientaba la carretera en una recta de badenes y costurones, por cuyo centro veía Rapano caminar a su tío, ajeno a la excesiva distancia de sus pasos más cortos, como si no le importara perderle. Corría sofocado en algunos tramos y descansaba inquieto un instante, atento siempre a la figura que alzaba la señal del sombrero de fieltro como un punto móvil en la a veces desesperante lejanía.

—Era una carretera que escoltaban algunos chopos, menos mientras más atrás quedaban Olencia y el río. La mañana de enero no resultaba de las peores, pero yo tenía rotos los codos del jersey y en ellos, lo mismo que en los dedos y en las orejas, me crecían los sabañones. Todo el equipaje era un hatillo que apenas pesaba. Nunca había visto tanta distancia fuera de los sembrados, quiero decir que esa recta me parecía infinita porque por ella daba la impresión de que sólo se podía ir, no volver. Me apuraba todo lo que podía pero no era suficiente para alcanzar a mi tío y hubo un momento en que ya no distinguí el sombrero.

La recta moría en el cruce de la carretera general y Rapano vio un camión que venía por ella con mayor lentitud y estrépito que la locomotora. Corrió de nuevo en el último tramo para verlo pasar de cerca.

—Tenía la cabina colorada y la caja enteramente cubierta por un toldo muy bien atado con muchos cabos. Los bultos que cargaba deformaban el toldo pero era imposible adivinar lo que llevaba. Pasó tan despacio que pude ver muy bien al conductor y a los dos acompañantes: eran albinos los tres y el que me miró tenía el ojo derecho de cristal. Al cruzar la carretera me percaté del rastro que el camión dejaba, una salpicadura de sangre como la que mana de las reses colgadas en el matadero.

Más allá de la general había unas casas esparcidas y un largo recuesto por donde se adivinaba la huella antigua de una carretera comarcal descarnada por las torrenteras. Hacia lo alto del promontorio descubrió de nuevo Rapano el sombrero de su tío pero antes de cerciorarse que era el sombrero tuvo la duda de que se tratara de un pájaro negro que extraviaba el vuelo para confundirle.

—Los pájaros de esa especie son burlones y taimados, de ahí que puedan amaestrarse, haciendo de su inteligencia el uso que uno quiera…

El tío le aguardaba en el alto.

—Me había echado el hatillo al hombro y según ascendía comencé a sentir un hedor tan fuerte y tan acre que hube de contener la respiración, y casi sin darme cuenta la cabeza empezó a írseme y saqué fuerzas como pude para salir huyendo cuesta arriba. El hedor venía de una montaña de hollejos porque allí al lado había una Alcoholera. Es a lo que por mucho tiempo me siguió oliendo Celama, como si ese recuerdo quedara más vivo que ninguno y el fruto de los viñedos, las híbridas que merendaban los perros cuando no había otra cosa, que era casi siempre, tuviera ya igual aroma en las mismas vides.

El tío se había quitado el sombrero y cuando Rapano llegó a su lado, disimulando la respiración entrecortada y el azoramiento de la tardanza, lo tomó por el ala y lo lanzó con un esfuerzo calculado, de modo que el sombrero voló sobre la tierra hasta una distancia considerable.

—Vete a por él y mira dónde cayó porque allí empiezan Los Confines.

De la frontera de Celama jamás supo Rapano los límites verdaderos, porque esos límites variaban según quién los midiese. Existía la certeza de que Celama era la Llanura entre el Urgo y el Sela, pero las estribaciones de la misma confluían a uno y otro lado de muy distinto modo. Los Confines que indicaba su tío variaron aquella misma mañana, porque cuando corrió tras el sombrero el viento comenzó a llevarlo por el erial y le costó mucho alcanzarlo.

—Supe en seguida lo que era la Llanura. Lo supe en comparación con lo que la Vega suponía en mi recuerdo, quiero decir que la Llanura no era nada en sí misma, ni siquiera me la imaginaba mirándola, sólo en comparación con la Vega, el contraste de los sembrados y el erial, la pobreza y el desorden.

Con el sombrero de mi tío en la mano me quedé tiritando, porque en ese momento sentí un frío muy intenso y un escozor terrible en los sabañones. El viento soplaba con otra intención, acaso porque de aquella en Celama no había árboles, cuatro frutales en alguna Noria, y yo sabía que los árboles son los únicos que suavizan su voluntad.

Esperé a que mi tío viniera o me dijera algo, porque lo de Los Confines no lo comprendía bien. Se acercó y cuando estuvo como a treinta pasos de mí se inclinó en la tierra y me pareció que cogía una piedra del suelo.

—Hasta aquí viniste detrás —dijo mi tío—, y desde aquí te toca ir delante. El camino no tiene pérdida y a casa conviene que llegue primero el que lo hace de prestado.

El tío lanzó la piedra y Rapano la sintió cruzar peligrosamente sobre su cabeza.

—La buscas y la guardas —ordenó mi tío—, para que desconfíes de lo que te dan sin merecer.

La luz del invierno era más viva en la planicie, como en esas habitaciones desoladas donde al encender la bombilla no hay obstáculos que la tamicen, aunque la viveza de la desolación siempre sea más gélida. Había algunas nubes moradas en el horizonte y un fulgor maciento que se diluía en la atmósfera, entre livianas esquirlas que el viento levantaba en los posos helados.

Rapano comenzó a caminar. Sentía a su tío tras él, en una distancia incierta, pero no se atrevía a volver los ojos. También de vez en cuando le escuchaba decir algo pero sin llegar a entenderle. Miraba inquieto las hectáreas baldías y lo que más le impresionaba era el brillo oscuro de las piedras, un raro brillo de metal oxidado o corteza calcinada que mineralizaba la erosión.

—Tuvieron que pasar algunos años para que yo entendiera lo que supone ser huérfano. Un niño de ocho todavía vive en ese limbo que aligera la memoria porque apenas hay huella de lo que se vive inmediatamente, aunque luego lo que se vivió, casi sin conciencia de ello, imprime un sentimiento mucho más profundo.

Fueron los kilómetros más largos de mi existencia y fui comprobando que la tarde venía a la Llanura con la misma precipitación del viento, tal vez porque era el viento lo que a la Llanura traía y llevaba la mayoría de las cosas. También comprobé que Celama era la misma en toda su extensión, quiero decir que, salvando los Pozos y las Norias que la moteaban con la determinación del oasis en el desierto, nada variaba en el erial que configuraba la capa de un mendigo abandonada porque ya no servía para cubrir la miseria, ni los sarmientos leñosos que a veces arañaban una hectárea con igual penuria y parecido sufrimiento.

Las indicaciones de su tío se habían traducido definitivamente en las pedradas que le lanzaba, con algunas advertencias poco comprensibles. Tardó algunos kilómetros en entender el nombre de los pueblos que iban sorteando.

El oscurecer fue menos precipitado, porque al filo de la tarde el viento cesó y un frío inmóvil comenzó a espesar la atmósfera, como si entre la tierra y el firmamento creciera un humo raro que fluía del hielo de una hoguera.

Rapano presentía que en la dirección de la Llanura, mientras más se internaban y más cerca estaba la noche, más difícil sería llegar a ningún sitio. Hizo un esfuerzo por acostumbrarse a aquel destino que le haría transitar sin reposo por un paisaje que al ser siempre el mismo comenzaba a dejar de existir, como en los sueños donde el espacio no tiene medida porque no tiene identidad.

—Había perdido el rumbo porque, más allá de las pedradas de mi tío, alguna de las cuales me había rozado las orejas, había extraviado el sentido y era como una máquina pequeña que sale aturdida de las vías y pita para no descarrilarse. Debí ir muy lejos, mucho más allá de lo preciso, y mi tío tuvo que correr tras de mí para llamarme…

Del resto de aquel primitivo nueve de enero en que llegó a Celama no tiene Rapano más recuerdos. La casa de Dalga era un tendejón con el techo de barro. A su tía Olina la vio en la cama, tan quieta y callada como su madre.

—Me acosté donde mi tío me dijo, cruzado al final de una cama grande y seguí tiritando hasta quedar dormido. Cuando había entrado en calor otro frío más fuerte vino a dañarme el vientre y gemí bajo la manta sin atreverme a quejarme. Los dedos de los pies de mi tío Ascario buscaban el calor de mi regazo.

En Sormigo lo único que sabían de los alemanes es que eran rubios, por eso cuando avisaron que venía uno de ellos a experimentar un artilugio para hacer Pozos, la mayor decepción fue comprobar que era un calvo de perilla plateada.

Fueron las hectáreas de más pedregal las elegidas, un terreno abandonado donde alguna vez hubo vides y el asiento de las cepas todavía mostraba la huella herrumbrosa.

Nada podía concitar más expectación en Celama que el anuncio de alguna nueva técnica para excavar los Pozos. Desde que la Llanura era Llanura, solían decir los más memoriosos, no quedó más remedio que mirar para abajo porque por arriba no había solución.

El primero que clavó una barra para alumbrar las aguas subterráneas lo hizo, Dios sabe cuándo, guiado por la fe de la desesperación, pero algún geógrafo había corroborado, más allá de la condición endorreica de Celama, ese subsuelo propicio. Y un ingeniero había comentado, mucho tiempo atrás, cuando ya los Pozos sangraban en las hectáreas yermas, que aquello era posible por la existencia de microconglomerados de cantos de cuarcita en el substrato arcilloso, que constituían acuíferos muy importantes.

Pero el problema seguía siendo cómo excavar los Pozos, cómo sacar la tierra y horadar los siete u ocho metros de profundidad hasta llegar al agua.

—De lo que es un Pozo —diría el Alemán en Sormigo— nadie va a darme lecciones. Los que tengo vistos según venía están hechos con más paciencia y trabajo que inteligencia, y si se hiciese un cálculo aproximado del costo humano de los mismos, tendríamos que convenir que hacerlos así es un disparate, porque una cosa es sangrar la tierra y otra muy distinta matarse en ello.

Escuchar al Alemán añadió más decepción a la ya provocada por la calva y la perilla. El Alemán se expresaba en un castellano perfecto, sin el menor acento extranjero. La única nota exótica era su indumentaria: un traje de mezclilla con pinzas en la chaqueta, una camisa de amplio cuello y un pañuelo floreado.

Había llegado conduciendo un coche difícil de identificar, probablemente compuesto y rectificado con restos de varias marcas, y en el Casino de Sormigo, antes de empezar la operación en las hectáreas elegidas, dio algunas explicaciones más o menos difusas, indicando someramente en un plano la mecánica de su artilugio.

—Lo que consigue esta técnica —dijo a modo de resumen— es que extraemos la mayor cantidad de tierra en el menor tiempo posible y con un costo humano inapreciable, porque el esfuerzo le compete todo a los bichos. Aquí la inteligencia está en el cuidado de la extracción, los animales tiran con los balancines y los baldes garantizan no menos de media tonelada por vuelta. Ustedes me escogen los mejores machos y yo les demuestro lo que consigue la ingeniería germana cuando lleva a efecto lo que se propone...

No hubo réplica porque en Sormigo la expectación estaba ya muy por encima de la decepción que había causado el Alemán y, además, la noticia se extendía por Celama y en el pueblo querían ser los primeros en comprobar la eficacia del artilugio.

—Mire, aquí los Pozos —fue la única observación que un viejo le hizo al Alemán— siempre los hicimos de descanso, con ladrillo de muro para empedrarlos cuando se pudo. Y esto supone que a la boca en vez de redonda le damos forma de huevo, y lo que queda de resalte nos va sirviendo de escalón o descanso para ir subiendo la tierra que se saca. Tres vigas y un gancho para que tire el macho de las canastas es todo lo que se necesita.

—Demasiado poco... —le aseguró el Alemán—. El esfuerzo es más grande mientras la técnica es más simple, no hay que engañarse. Y la más simple de las técnicas es la que deja al cuerpo humano el mayor compromiso.

Los elementos del artilugio eran descargados de una camioneta, en el lugar elegido, por los tres ayudantes del Alemán, que vestían unos monos de mahón bastante raídos y grasientos y tenían el aspecto de los húngaros que algún que otro verano cruzaban Celama con sus carromatos. La tez oscura de los laboriosos ayudantes contrastaba con la plateada perilla de su jefe, y la siguiente decepción de la jornada fue ver salir al Alemán de la cabina de la camioneta, donde discretamente había cambiado la indumentaria, embutido en un mono de iguales características. En menos de media hora, mientras los cuatro sudaban acarreando los materiales e iban armando el artilugio, la perilla había perdido cualquier rastro de brillo plateado.

—Ingeniero no es… —dijo alguna de las mujeres que se sumaban al corro, respetando la distancia que el propio Alemán había aconsejado, para que todos pudiesen contemplar la demostración sin problemas.

—Ni Alemán parece… —aventuró otra de las mujeres, dejando en el aire esa duda que hasta el momento nadie se atrevía a hacer pública.

—Que sea lo que sea… —dijo una voz taxativa y contrariada—. Lo único que importa es la máquina.

La máquina era difícil de describir y cuando estuvo compuesta despertó en los espectadores, a partes iguales, asombro y escepticismo.

—Es un telar muy raro… —aseguró el mismo viejo que le había hecho la observación al Alemán en el Casino.

Un árbol clavado en tierra, una anilla en lo alto con seis vientos, un disco bien amarrado por los cables, un eje con su palanca y la polea que salía entre el árbol. Luego otra polea a la orilla por donde rulaba y bajaba el cable al pozo, y el tiro de los animales con unos balancines que sacarían la tierra en unos baldes enormes. En los vientos, que tenían las clavijas bien clavadas, había al menos metro y medio de sólidas cadenas.

La máquina restallaba en el esfuerzo de arranque, y en ese esfuerzo, todavía desorientado por el ímpetu ciego de los animales, todo se sumaba en un costoso temblor, en una desarticulada sensación de que los elementos que la componían no lograban compaginarse. Era un esfuerzo seco, compulsivo, que arrancaba el trallazo de las cadenas y tensaba con peligro los cables mientras pujaban unos vientos con otros.

El Alemán daba nerviosas instrucciones a sus ayudantes, que ya contaban con el ofrecimiento de los más dispuestos de Sormigo, aquellos que más fácilmente se animaban a echar una mano. El hombre parecía presa de una creciente excitación, intentaba que nadie hiciese nada antes de tiempo y controlaba cada uno de los elementos, repasando los ejes, aquilatando las poleas, asegurándose de los balancines.

Cada uno de los intentos parecía condenado al fracaso. El arranque en seguida se frustraba y los trallazos de las cadenas y los cables en la anilla daban la impresión de que la máquina era incapaz de articular la fuerza, y la violencia era un residuo incontrolado que demostraba penosamente el desajuste del artilugio

Cuando el Alemán trepó por el árbol con un enorme martillo y un cortafríos, los ayudantes le gritaron inquietos y por primera vez se escuchó su nombre que, al menos en los oídos de los espectadores, sonó con toda su estridencia teutona.

—Valor no le falta… —dijo una de las mujeres, viendo cómo el hombre alcanzaba la anilla sorteando el disco y la palanca y comenzaba a operar en las alturas.

—Ni confianza en lo que se trae entre manos… —reconoció otra a su lado, mientras los ayudantes, que sujetaban los animales, repetían con creciente inquietud su nombre.

Nadie supo nunca en Sormigo cómo arrancó la máquina, qué raro brío hizo que los animales iniciaran el arrastre sin que ninguno los dirigiese ni lograra contenerlos, y con qué extraña pericia saltó el Alemán a tierra entre la furia de los vientos y el tenso vértigo de los cables y las cadenas.

Al asombro y temor de los espectadores, que abrieron el corro entre los gritos de los niños asustados, sucedió la emoción de comprobar cómo el artilugio lograba una violenta armonía, en la que todos sus elementos funcionaban compaginados y los baldes arrancaban la tierra en proporciones casi imposibles de medir, como si la tierra fuese propicia a esa violencia que laceraba su superficie y sus entrañas, tan lacradas por la costra de la incuria.

El Alemán de Sormigo, porque así quedó grabado su nombre en el recuerdo, cavó sesenta y seis Pozos en Celama y perdió la vida en el sesenta y siete, cuando un gancho se partió con el asa de un balde y el balde desprendido le alcanzó en la cabeza.

La máquina siguió armada en el lugar de ese Pozo inacabado, en unas hectáreas del peor secano de la Llanura. Los dos de los tres ayudantes que con él habían venido a Sormigo, y con él permanecieron, no mostraron la mínima intención de seguir con el modesto negocio. La máquina, decían, tiene un punto que sólo quien la inventó sabe darle.

Durante años el árbol alzó su centro con la anilla y el disco como la enseña malograda de lo que consigue la ingeniería germana cuando lleva a efecto lo que se propone. Luego las clavijas se corroyeron y dejaron caer los vientos y el mismo árbol se derrumbó talado por el invierno de la Llanura.

4

Por el camino de Hoques no había nadie en la mañana
helada. La hora y la distancia ayudaban a los pasos secretos
de Elirio porque nadie madrugaba en esos días de febrero y
los cinco kilómetros en esa dirección eran cinco kilómetros
sin destino para cualquiera que tuviese dejadas de la mano
de Dios las hectáreas en el invierno.

En realidad, en esos meses todas las hectáreas estaban
dejadas de la mano de Dios, pero había caminos entre las
Norias y senderos por los Pozos que seguían frecuentán-
dose, porque algo siempre quedaba por hacer en algún sitio,
por mucho que la desgana también enfriara la voluntad de
moverse.

Rodeó el pueblo, simulando la desorientación de quien
sale sin muchas convicciones sobre la ruta a seguir, y cuando
tomó el camino de Hoques se detuvo un instante y miró a
sus espaldas, hacia la mediana lejanía donde las casas estaban
dormidas en el desorden que en vez de amontonarlas las
esparcía extraviadas.

Elirio se había percatado de ese desorden, que afectaba a
los pueblos de Celama, cuando regresó de su segunda emi-

gración. Tras la primera le sucedió lo contrario: el contraste de aquella disposición alterada de las casas, emancipadas una a una como islotes en un imposible archipiélago, le llevó a pensar que no era allí donde se había perdido la armonía, sino en las ciudades y pueblos por donde había estado.

Existía un canon en el interior de su mirada y su memoria que otras miradas y recuerdos no habían logrado alterar, y en los primeros días del regreso sintió no sólo esa paz de la Llanura, que tanto alimentaba las nostalgias de los que se iban, sino ese criterio del adobe desparramado con una libertad caprichosa que hacía de las casas refugios de la soledad de cada uno, parapetos del respeto o la indiferencia.

Pero cuando volvió de su segunda emigración, el canon interior de su mirada y memoria se había borrado en los largos años de ausencia, y a ello había contribuido la convicción de que Celama no representaba otra cosa, más allá de las nostalgias y el desamparo, que un brumoso pasado lleno de incertidumbres y sufrimiento. La paz de la Llanura era más exactamente la de la pobreza, y en la cansada observación del emigrante enfermo que volvía derrotado, era el desorden lo que estructuraba aquellos pueblos dejados de la mano de Dios, crecidos en el naufragio del archipiélago, con el adobe que aferraba su existencia como una lepra calcinada.

Acababa de tomar el camino cuando tuvo la impresión de que le seguían. Los cinco kilómetros escoltaban en algún tramo la huerga, derivaban entre los viñedos más nutridos, que ahora mostraban el exterminio de los sarmientos, y dividían las hectáreas en una longitud en la que confluía la demarcación de varios pueblos.

Aminoró la marcha, simuló atarse una bota apoyándola en una piedra. La mañana tenía el blancor helado que acabaría asentándose como una costra por todo el firmamento a lo largo del día. Sólo por un instante dudó Elirio si dar la vuelta. Era imposible que en aquel tramo alguien pudiese acecharle sin ser visto. Volvió a caminar decidido y fue al cabo de medio kilómetro cuando comprobó que era un bicho el que venía detrás. Entonces se sentó a esperarle para que tomara confianza y en unos minutos vio a un perro que le observaba a la vera del camino. Le llamó pero el perro parecía recelar.

—El mejor amigo del hombre y el más fastidioso... —musitó al emprender el camino, después de hacer el gesto de tirarle una piedra.

A lo largo de los kilómetros el perro vino tras él, guardando una distancia razonable pero sin perderle en ningún momento de vista, como un tozudo merodeador. Cuando Elirio se detenía, él hacía lo mismo, y cuando apuraba el paso ganaba la distancia adecuada.

—Nadie tiene en el pueblo un perro así... —pensó Elirio—. Puede llevar tres días sin comer y a lo mejor me quedo corto. La oreja rota es de haber peleado con otro por un mendrugo y el andar medio lisiado, más de viejo que de impedido. Es de los que no tienen collar ni amo, de los que viven de las uvas, los ratones y los pájaros, hasta que el invierno los condena...

Era un perro sin raza, raquítico y enfermo, con el pelaje arruinado de los proscritos. Llegó al punto en que el camino de Hoques viraba hacia la encrucijada de la carretera comarcal y se detuvo para comprobar que el hombre, que ya parecía totalmente desentendido de él, se salía hacia una senda menos precisa en dirección a una casilla que limitaba con los marjales.

Vina le había dicho a Elirio que aquella era la última vez que se arriesgaba a verle. Los kilómetros longitudinales desde su casa al camino de Hoques, que ahora tenía que desandar, eran sólo tres pero las veredas resultaban menos gratas y el invierno derruía los pasos y hacía más costosa la desolación de los atajos.

El perro la vio salir de la casilla una hora después de que hubiese entrado el hombre y aguardó unos minutos para comprobar que también el hombre salía y retomaba la senda hacia el camino. Le sintió pasar muy cerca y todavía, durante unos instantes, le vio alejarse sin mucha decisión, como si el regreso contuviera el desánimo de lo que se pierde.

Vina tuvo el presentimiento de que alguien la seguía pero no se atrevió a contener los pasos agitados. El desánimo de lo que se pierde se diluía en su corazón entre la zozobra y la duda de lo que nunca se tuvo, porque el amor de Elirio duraba bastante más de lo que duraron sus dos emigraciones, y esa duración marcaba un tiempo de esperanza y desgracia que presidía su matrimonio con Somes y dos hijos que habían nacido en el recuerdo de quien hizo imposible la fidelidad debida.

El perro mantenía tras ella una distancia calculada. Respiró al comprobar que se trataba de un escuálido bicho, como si esa comprobación limitase la inquietud que siempre alimentaba sus pensamientos, porque en los avatares de su

relación con Elirio jamás había existido un momento de
sosiego: la desazón guiaba el destino de un amor desorde-
nado que le había causado el mismo sufrimiento en el secreto
de la pasión y en la ausencia.

—Nadie tiene en el pueblo un perro así… —pensó Vina
para tranquilizarse.

De todas formas hizo un regreso mucho más precipitado,
porque aquella vigilancia a sus espaldas no le resultaba nada
grata. En su memoria de niña había un perro proscrito que
una mañana la había hecho correr desesperada, y los perros,
aun los más mansos y familiares, concitaban un recelo que la
mantenía a la reserva, incapaz de tratarlos con la naturalidad
con que lo hacía con los gatos y demás animales.

Entró en casa por el corral. La mañana intensificaba su
blancura de hielo, inmovilizada como si esa palidez fuera
ganando un espesor cada vez más aterido. La Llanura incrementaba el vacío invernal, la inclemencia de la nada que
se esparcía con la misma parsimonia con que días después
caerían los copos de una nevada que inundaría el alma de
los amantes.

Esa misma mañana cuando Somes asomó al tejar, tras oír
la voz de Vina que le reclamaba para el desayuno, vio a un
perro que parecía aguardarle en la distancia que mantienen
los animales cimarrones que vuelven al dueño dispuestos a
restituir el pedazo de fidelidad que traicionaron.

—Surco… —exclamó Somes incrédulo, viendo cómo el
perro alzaba la cola raída y ladraba con una furia desafiante
cuando Vina asomaba temerosa a la ventana.

El viejo Rivas se moría en El Argañal. Era una muerte lenta y contradictoria que ya duraba veintiséis días. Los dos médicos que le visitaron coincidieron en el mismo diagnóstico: los pulmones del viejo ya no daban más de sí y lo que quedaba era aliviar un final irremediable que no podía demorarse.

—Ahora o nunca... —dijo aquella mañana, cuando Celda, la hija mayor, entró en la habitación con la palangana de agua tibia y la toalla—. Llamas a Benigno a Omares y que venga con el coche...

Celda no pudo contener las lágrimas y, mientras el viejo intentaba incorporarse con un penoso esfuerzo que le hacía boquear, dejó la palangana y salió corriendo de la habitación casi sin voz para llamar al resto de la familia.

El viejo Rivas había logrado sentarse en la cama y había alcanzado el bastón que colgaba del cabezal. Entraron las tres hijas con Celda más asustada que ninguna y tras ellas asomaron dos de los yernos.

—Te dije que llamaras a Benigno, cabeza de chorlito... —gritó el viejo alzando amenazante el bastón—. Todas me sobráis menos Menina, que es la que mejor me viste. Y vosotros, que ya veo que hoy no salisteis al campo, esperar fuera para ayudarme a bajar…

Los yernos se miraron indecisos, incapaces luego de entender el gesto urgente y desesperado de Celda y Henar, que nada más salir de la habitación prorrumpieron en un llanto indignado.

—Sois los hombres los que tenéis que sujetarlo… —dijeron ambas—. Que se muera fuera de la cama será la mayor vergüenza que pueda pasarle a esta familia.

Los yernos volvieron a mirarse cohibidos y cuando Zarco tomó la decisión y Herminio le siguió, las mujeres duplicaron el llanto, mientras en la habitación se escuchaba, entre ahogos, la voz del viejo Rivas que las insultaba.

—Que venga Benigno… —se le oyó repetir— o os rompo el bastón en las costillas, malas pécoras…

Zarco se acercó exagerando el gesto contemplativo de quien busca un razonamiento tan pertinente como inútil, y Herminio se mantuvo en la media distancia exagerando una mirada suplicatoria.

Menina vestía a su padre con notable destreza, aunque el esfuerzo era excesivo para ella sola, porque el cuerpo del viejo sucumbía en su propio peso.

—Ayudarla, galopines… —ordenó a los yernos—. Ya que no fuisteis al campo, echar al menos una mano. Las bocas que comen en esta casa siempre justifican lo que comen.

—No hay razón para que usted haga esta locura, estando como está… —acertó a decir Zarco, dispuesto a ayudar a Menina.

El viejo Rivas tenía ya puestos los pantalones y Herminio alcanzó las botas que estaban debajo de la cama.

—Ahora o nunca… —repitió el viejo intentando acompasar la respiración, mientras Menina guiaba su brazo derecho por la manga de la camisa—. Nunca me resigné a que la muerte me pillara donde le diese la gana…

Hasta que Benigno llegó de Omares con su coche de punto, el viejo Rivas permaneció sentado en la cama. Celda y Henar sollozaban a los pies de la misma, intentando sin remedio que atendiera a la súplica de volver a acostarse, y Menina le había cepillado la chaqueta y derramaba sobre su cabello un poco de colonia para peinarle.

—Así me gusta… —dijo el viejo complacido— que me pongas guapo. Tu madre, después de tantos años, no tiene por qué verme llegar hecho un carcamal. Y vosotras callaros, que me aturdís con esa puñetera murga. En vez de tanto lloro, traerme una copa de orujo, que me parece que voy a necesitarla…

Los yernos bajaron al viejo Rivas, que mantenía el bastón en la mano y lo golpeaba en los peldaños para indicarles que necesitaba un reposo. Menina iba delante de ellos y Celda y Henar ya no lograban contener el llanto, observando la penosa operación desde lo alto de la escalera.

Benigno había aparcado el coche al pie del portal y cuando vio al viejo Rivas en los brazos de los yernos fue hacia ellos por el zaguán dispuesto a echar una mano.

—Ese Ford… —le dijo el viejo— es el mismo en que tu padre llevó a una novia y a un novio al tren de Olencia hace casi tantos años como tú tienes…

—Son vehículos eternos, don Venancio. Apenas hubo que cambiarle las ballestas y rectificar cuatro cosas del motor.

Benigno ayudó a colocar al viejo Rivas en el asiento trasero y a su lado se sentó Menina.

—Vosotras dos… —dijo el viejo señalando a Celda y Henar que lloraban sin consuelo— podéis venir si acabáis el concierto. Para echarme a perder el viaje con esa llantina no os quiero, así que ahora mismo decidís…

Celda se sentó junto a Benigno y Henar atrás, al lado de Menina. Los yernos querían subir al pescante pero no se atrevían a hacerlo.

—Caronte[1] tiene plazas para todo quisque… —consintió el viejo Rivas—. Y ahora, Benigno, vamos a ver algo de lo que más me gusta de Celama, aquella Noria de Romayo donde cuando era chaval planté un cerezo.

Era media mañana y la brisa de la primavera que llegaba retardada al Argañal todavía mantenía el frescor del rescoldo de los hielos. El viejo no había consentido que bajasen el cristal de la ventanilla y la brisa batía su rostro con esa lumbre fría que aliviaba y agobiaba su respiración en igual medida.

Los kilómetros de la Llanura tenían una lentitud que el Ford de Benigno exageraba, como si el vehículo tuviese conciencia de la finitud del caprichoso viaje. El propio Benigno conducía con una especie de indecible desgana, sintiendo en

---

[1] Personaje de la mitología griega, barquero de los Infiernos, que pasaba en su barca las almas de los muertos a través de la laguna Estigia a cambio de un óbolo.

la precaria velocidad el destino del tiempo y las hectáreas que fluían con la misma indolencia con que se va borrando lo que se pierde.

Todos guardaban un extremado silencio en el interior del coche, y los yernos ni siquiera se atrevían a mirar desde los pescantes. Sólo los ahogos del viejo Rivas moteaban la desolación del viaje, un eco gutural en la caverna de los pulmones, un desfallecimiento que le hacía boquear.

—Allí está la Noria y aquel es el cerezo… —indicó Benigno al pie del polvoriento camino que conducía a un oasis bastante desamparado.

—La flor se helará como siempre… —dijo el viejo Rivas—. El año que se logre el fruto el páramo será el paraíso y los bienaventurados bajarán a mirarlo y nos lo dirán luego a los que estemos en las calderas de Pedro Botero[2], que seguiremos sin creerles. Vamos al Lozo, que quiero ver aquellas vides que plantó mi padre…

Celda y Henar retomaron el llanto. Menina había acercado la mano derecha a las de su padre, que sujetaban sin fuerza el bastón entre las rodillas. Las acarició y sintió en ellas el mismo frío de la brisa que avivaba el rescoldo de la mañana. Los ojos del viejo Rivas encontraron la mirada siempre ausente de Menina, la que más le recordaba aquella otra que la ausencia de tantos años jamás había reconducido al olvido.

—Mi niña muda… —musitó sin lograr que sus manos le obedeciesen para devolver la caricia.

---

[2] Nombre que coloquialmente se da al infierno.

El Ford surcaba un camino polvoriento y los yernos se defendían con dificultad de la ingrata tolvanera. Se divisaban algunos Pozos en la distancia y, en las hectáreas yermas, las vides abandonadas que todavía durante algún tiempo continuarían dando algunos frutos malogrados.

—Así se pierde lo que no se cuida… —dijo el viejo contrariado—. No llegues al Lozo, Benigno, que no quiero mirar lo que mi padre aborrecería.

El Ford se había detenido. El llanto de las hijas era más desesperado.

—¿Y dónde vamos ahora, don Venancio…? —quiso saber Benigno.

—Lo que queda hasta el Morgal de memoria lo sabes… —dijo el viejo—. A estas dos pesadas las dejamos en el cruce de la carretera para que se callen de una puta vez y los maridos las lleven a casa. Quería ver antes esa Piedra del Rayo que hay en la Linde de Serigo pero me parece que no me queda tiempo…

Celda y Henar se bajaron en el cruce amenazadas por el bastón del viejo y los yernos aceptaron contritos lo que las dos hijas consideraban el mayor desatino de aquel hombre, incapaces de contener el llanto y hundidas en el dolor y la indignación.

—Llamáis a don Fidel para que, si quiere, bendiga lo que dejo, este despojo humano que todavía llevo puesto… —ordenó con acritud—. Y lo que me sigáis llorando de vuestra cuenta queda, porque no hay cosa que más me joda en el mundo. Anda, Benigno, que para los tres kilómetros que restan al Morgal puede que ya no tenga aliento…

Se había recostado en el asiento mientras el Ford retomaba una marcha ligera con la que Benigno pretendía salvar los baches que asediaban la carretera comarcal. Menina volvía a acariciar las manos de su padre, que acababan de soltar el bastón. Los ojos del viejo Rivas surcaban la Llanura con la misma mirada con que el navegante surca las encrespadas aguas intentando divisar el faro que guíe su destino en el regreso de la costa.

—Páramo de mi vida… —musitó con los ojos extraviados en el erial que la mañana alzaba como una ola de piedra y sufrimiento.

Hacia el mediodía comenzaron a llegar la media docena de coches que habrían de juntarse en la Hemina de Midas, donde Roco y sus dos hijas, Aceba y Mara, se habían refugiado, después de malvender la casa de Dalga y las dos Norias más maltrechas que les quedaban, las heredadas de su difunta madre.

En la Hemina de Midas había una casa abandonada, que reconstruyeron como buenamente pudieron, y a ella llevaron los cuatro enseres rescatados y el único baúl de sus pertenencias, un viejo trasto que olía a alcanfor y lana. Llegó primero el coche de Avidio y cruzó la Hemina por el camino polvoriento que conducía a la casa, pero antes de alcanzarla se detuvo un momento.

—Ésta es la piel de la miseria… —musitó escupiendo el palillo que sujetaba entre los dientes, mientras observaba el pedregal—. Cincuenta céntimos el metro cuadrado para un incauto que no sepa lo que son las rañas…

Roco le esperaba a la entrada de la casa y le indicó la sombra de dos frutales arruinados para que aparcase.

—¿A qué huele…? —quiso saber Avidio, que olfateaba un aroma de hierbas al bajar del coche.

—A los corderos que asan Aceba y Mara. La lumbre la tenemos detrás y en la sombra del corral está la mesa puesta.

—Si invitas es que puedes… —comentó Avidio desconfiado, evitando la mano de Roco y palmeándole el hombro.

—Se puede con lo que se tiene y con lo que no se tiene, siempre que se sea generoso. Uno de pobre ya no baja porque ya llegó al último escalón. Comer y beber en un día como éste, sólo es un gesto agradecido…

—Todavía no me enteré de lo que se celebra.

—Con el estómago lleno se ven las cosas mejor. Lo que está garantizado es lo que asan mis hijas, el vino, el café y las copas. A lo que huele es a tomillo y a sarmientos…

El mediodía alcanzaba una luz primaveral que sacaba un brillo oxidado a las piedras. Aceba y Mara habían logrado cubrir la mesa con un mantel de retales bastante disimulados y la loza de la vajilla mostraba las violentas mordeduras de unos platos que debían tener muy distintas procedencias, tantas como dibujos y colores. Las servilletas debían provenir de los mismos retales del mantel y la cubertería era tan escueta que difícilmente ofrecería una navaja y un tenedor para cada comensal. Las jarras del vino eran más fáciles de compartir y, cuando los invitados comenzasen a hacer uso de ellas, Roco estaría especialmente atento para rellenarlas. En el pellejo quedaba por lo menos una arroba y había una botella de coñac y otra de anís.

—Huele que alimenta, es verdad… —corroboró Avidio, que se había acercado a la lumbre, donde trajinaban hacendosas las cocineras.

—Para beber no hay que esperar a que lleguen los otros… —aclaró Roco alcanzando una jarra.

Los otros fueron llegando en cortos intervalos. En el coche de don Rabanal vino también Bugido y después llegaron, cada uno en el suyo, Risco, don Manolín, Orbe y Palmiro. Todos ellos, menos Orbe que era el director de la Caja de Anterna, hicieron la misma parada que Avidio en el camino polvoriento de la Hemina, y todos pensaron en la piel de la miseria y en el valor exiguo de cada metro cuadrado de aquella escueta tierra que brillaba oxidada, como si la luz primaveral contribuyese a iluminar la herrumbre de su abandono.

—Ni para trigo argañudo, Bugido, te lo digo yo… —aseguró don Rabanal—. Si éste es el patrimonio de Roco, ya podemos darnos por jodidos los acreedores…

—El patrimonio hay que sacarlo a flote porque, como usted bien sabe, es muy frecuente dar largas cambiadas y disimular lo que se tiene y lo que no se tiene… —opinó su acompañante—. Esta Hemina no lleva precisamente el nombre de un pobre.

—Jamás conocí a nadie que se llamara Midas.

—Es el nombre de quien convierte en oro todo lo que toca.

—En la miseria de los créditos lo convierte Roco… —masculló don Rabanal—. La invitación que hoy nos trae aquí es la quimera de un pobre desgraciado. Se pierde el tiempo viniendo y, mucho más, viendo estas rañas…

Los invitados se saludaron con más desconfianza que complacencia. La extrañeza de verse juntos acarreaba casi tanta prevención como disgusto, ya que en algunos casos ni siquiera la relación era buena. Sólo Orbe, como director de la Caja de Anterna, tenía más datos para calibrar el nexo de los convidados, porque los relacionaba profesionalmente y estaba mejor informado que ninguno de la situación financiera de Roco, aunque acudía al banquete tan extrañado como los demás.

—Cuando se invita a tanta gente… —le dijo don Manolín a Roco en un aparte— hay que contar con el beneplácito de la concurrencia. Yo con Risco no me hablo desde hace ocho meses y donde don Rabanal come, prefiero en vez de alimentarme escupir…

—La vida no me dejó ser dueño ni siquiera de las amistades… —se disculpó Roco, pasándole una jarra de vino—. Estoy en las manos de quienes echármelas quisieron, unos con mejor voluntad que otros y todos, finalmente, al cuello. Este convite es, antes que nada, una muestra de agradecimiento…

—Yo no la necesitaba… —dijo don Manolín sin disimular el aborrecimiento—. A mí con que me pagues lo que me debes, me es suficiente. Comer y beber con esta jarca puede destrozarme el estómago.

En la contemplación del asado de Aceba y Mara hubo unanimidad. La carne llegaba en las fuentes de barro y el aroma fluía del jugo como una emanación de sustancias perfumadas. Las hijas de Roco habían partido las hogazas de pan y se mantenían a los extremos de la mesa con el

gesto hacendoso y discreto de las sirvientas que velan para
que nada falte.

—La pinta que tiene esta carne… —reconoció Palmiro,
conteniendo con dificultad el ímpetu glotón— dice mucho
de lo que valen tus hijas. La fama de cocineras y atildadas
la tienen mejor ganada que la tuya, amigo Roco. El jugador
y el manirroto siempre la ganan a base de perderse, y en
perjuicio de los demás.

—Ellas salieron ambas a su madre… —reconoció Roco,
que no cejaba en llenar y pasar las jarras de vino—. De mí,
apenas tienen el azul de los ojos y el cariño con que me
corresponden. Con su compañía es con lo único con que
puedo compararme al Midas de esta Hemina…

Se habían ido sentando alrededor de la mesa y el orden
demostraba con mayor claridad la animadversión que la
confianza. Las hijas de Roco advertían del mal estado de las
sillas y, en algún caso, estaban dispuestas a proporcionar un
apolillado cojín para salvaguardar el asiento.

—Hay convites pensados de tal manera… —dijo Risco
abalanzándose sobre las primeras tajadas y sin disimular
el gesto airado— que lo mejor que puede pasarles es que
acaben lo antes posible. Seguro que de los presentes no hay
nadie que no tenga prisa.

—No hay obligación de entretenerse más de lo debido…
—asintió Roco complaciente—. Mi intención no era otra
que la de convocar a quienes tanto debo, como muestra
agradecida de lo poco que puedo.

—Y tanto que debes… —dijo don Manolín torciendo
el gesto, mientras alcanzaba una segunda tajada—. Nos ha

jodido aquí el amigo Roco. Tanto y tan mal debido, que sólo por misericordia se alargan los plazos, aunque en la vida todo tiene un límite.

—Eso de lo poco que puedes no se entiende bien… —dijo Bugido muy circunspecto, después de mondar un hueso—. Puede el que arrima el hombro, el que madruga y no trasnocha, el que tiene bien demostrada la intención de saldar las deudas.

Era Orbe, el director de la Caja de Anterna, el único que mantenía una atención silenciosa, atraído por la curiosidad de aquella celebración, en la que todos participaban con aparente malestar pero dando cuenta de los alimentos y la bebida sin la mínima contención. El pellejo del vino se iba desinflando con notable celeridad y las fuentes quedaban arrasadas. Todos los presentes eran clientes suyos, y a todos podía contabilizarles, por distintos conductos, los créditos y los débitos que ataban a Roco, en más de un caso de forma sangrante.

—Lo que no hay es postre… —dijo el anfitrión, cuando sus hijas retiraron las fuentes—. El banquete del pobre siempre queda cojo, aunque en la Hemina de Midas se celebre. Lleno las jarras y liquidamos el pellejo. Luego el café, eso sí, hay dos botellas de coñac y anís para acompañarlo…

A los comensales no pareció agradarles la noticia. Orbe vio el rostro desairado que unificaba en todos ellos el mismo gesto de desprecio, la salpicadura del vino que acentuaba el rencor de las miradas, sobre todo las que se dirigían los que compartían el mayor aborrecimiento.

—Llamas pobre al tacaño… —dijo Bugido con voz espesa, mientras la jarra se le iba de la mano—. Un dulce no iba a incrementar mucho el déficit de tus finanzas, otra cosa son los naipes…

Aceba y Mara servían el café y Roco dejó sobre la mesa las botellas de coñac y anís.

—Ahora, si me lo permiten —dijo, cuando ellas se retiraron— les cuento un sueño que mi hija Aceba tuvo la otra noche.

Los comensales tardaron un momento en darse por enterados. Las botellas corrían de mano en mano con excesiva codicia y Roco aguardó paciente a que todos se sosegasen.

—Vino Midas a la Hemina en el sueño de Aceba y le acarició el cabello para que se despertara. Le dijo: no tengas ningún miedo que soy el rey de esta tierra del mismo modo que lo soy de Frigia. El dios Dioniso[1] me ha dado el don de convertir en oro todo lo que toco. Sal a la Hemina y elige las siete piedras que más te gusten y me las traes que yo te las devolveré convertidas en oro. Aceba hizo lo que el rey le dijo y, cuando por la mañana, me contó el sueño, yo entendí que esas siete piedras eran para sufragar las deudas de los siete acreedores que se sientan a esta mesa…

Los comensales miraban atónitos a Roco y por un instante parecían haber perdido el interés de disputarse las botellas.

---

[1] Baco para los romanos. El dios de la danza frenética, del entusiasmo, el vino y la embriaguez.

—Ni los sueños ni los cuentos valen para otra cosa que hacer de la vida una estúpida quimera… —dijo don Rabanal—. Cualquiera que observe esas piedras… —indicó, señalando los cantos oxidados del yermo— sabe que nada hay más ajeno a ellas que el oro. Midas[2] tendría éxito en Frigia pero siempre fracasaría en Celama.

—Tienes a las hijas un poco grilladas… —opinó Palmiro—. Contando esos sueños no vas a casarlas.

—¿Y cuándo dijo ese Midas que volvía con las piedras convertidas en oro…? —quiso saber Risco.

Roco se encogió de hombros. Orbe le vio alzar luego los brazos con un gesto resignado, después volver a bajarlos y llevar las manos a los bolsillos del raquítico pantalón. Extrajo con la misma resignación los forros de los bolsillos, vueltos y rotos como dos monederos esquilmados, y los mostró como el inocente muestra la inútil prueba de su descargo.

—Pues la verdad —dijo Roco, después de un largo silencio que los acreedores respetaron— es que eso que comieron y bebieron es todo lo que había. Los dos corderos, el pellejo, el pan, el café y las botellas. Ahora puedo jurar que se acabó lo que se daba. La Hemina está empeñada y la única esperanza que queda es que lo que soñó Aceba sea cierto.

---

[2] En la mitología griega, rey de Frigia, hijo de Cibeles, quien, según la leyenda, obtuvo de Dionisio la facultad de cambiar en oro todo lo que tocaba.

A Verino lo esperó su madre como Penélope esperó a Ulises[1], pero la madre de Verino no tejía y destejía para alargar la espera, entre otras cosas porque se había quedado ciega, y además porque nadie le urgía el regreso, antes al contrario, en el regreso de Verino nadie creía doce años después de su partida y tras la comunicación del mando Divisionario, en la que se le había dado por muerto o definitivamente desaparecido allá por los alrededores de alguna ciudad rusa de la república de Ucrania.

La espera de la vieja Ercina estaba alimentada, sin embargo, por una carta de Verino, que ni el mismo mando Divisionario debió conocer, y de la que, por supuesto, tenían noticia todos los habitantes de Hontasul. En Celama habían sido tres o cuatro los reclutados con el engaño de un destino

---

[1]   Ulises (para los romanos) u Odiseo (para los griegos) fue un héroe legendario, uno de los principales del sitio de Troya, donde destacó, sobre todo, por su prudencia y su astucia. Su leyenda está relatada en *La Odisea* (el regreso del héroe a su patria Ítaca) y también es personaje de *La Ilíada*. Penélope, mujer de Ulises, durante la larga ausencia de éste se negó a conceder su mano a sus numerosos pretendientes.

aventurero, en aquella División[2] que ayudaría a los alemanes
en Rusia. Ninguno de ellos había vuelto.

Era una carta escrita desde un hospital de Jarkov donde,
al parecer, estaba recluido a consecuencia de una herida mal
curada en el muslo izquierdo, tras haberse extraviado en la
retirada de las tropas alemanas y convivir como desertor con
los partisanos rusos, al menos eso daba a entender.

—No sé si dice que va a morir o que viene… —comentó
angustiada la vieja Ercina, indicando temblorosa los ren-
glones de aquella carta que, por lo escueta y dramática,
vaticinaba casi el estertor de quien la había escrito.

—Lo que parece decir es que, en cualquier caso, alguien
vendrá en su nombre para que usted no se quede definitivamente sola, si él no puede. Allí da la impresión que Verino
encontró un compañero a quien no le importa volver para
que no pierda del todo a su hijo.

—Qué historia más rara… —decía la vieja Ercina—.
¿Qué hijo dejaría de serlo para que otro lo sustituya? Es
hijo único el que no tiene hermanos y Verino lo fue por
la gracia de Dios y de mi esposo, aquel hombre que me lo
hizo la misma noche que al despertarse sintió que el corazón
se le acababa y a mi lado quedó, muerto de repente con la
conciencia del deber cumplido.

---

[2] Remite, como ya comentamos en el «Estudio preliminar», a la
División Azul, unidad militar de voluntarios españoles que, durante la
Segunda Guerra Mundial, luchó integrada en el ejército alemán contra
los soviéticos.

Todavía existe en el camino de Loza, a tres kilómetros de la carretera de Hontasul a Sormigo, una lápida que alguien labró con menos destreza de la necesaria, en la que puede leerse con demasiada dificultad un nombre extraño y una fecha desvaída. Está medio enterrada entre la cuneta y la linde de la hectárea donde la vieja Ercina tuvo la Noria que un día atendió su marido, antes de la noche en que se le acabó el corazón.

—Nadie en Hontasul da demasiada fe de ella… —decía Leda a su prima Osina, una tarde que la buscaban mientras cortaban altamisas.

—Porque de la historia del ruso nadie quiere acordarse. En el pueblo, muerta Ercina y muerto aquel hombre que vino de tan lejos, todo fueron dudas y figuraciones.

—Con la yema del dedo… —dijo Leda cuando descubrió la lápida y, después de limpiarla, buscó las toscas hendiduras que componían las letras— algo puede leerse, pero es un nombre tan raro. La fecha sí que se borró…

Las dos muchachas estaban arrodilladas en la cuneta, embebidas en el hallazgo que refrescaba la memoria de una historia incompleta.

—Dice Boris Olenko… —leyó Leda, y su prima Osina dejó que guiase la yema de su dedo índice por las letras desvaídas, hasta cerciorarse.

—¿Es de veras un nombre ruso…? —quiso saber.

—De Ucrania… —informó Leda, recordando lo que había oído—. De otra Llanura que como ésta tiene el límite de dos ríos, que en vez de llamarse Urgo y Sela se llaman, si no me equivoco, Dniéster[3] y Don. Dicen que muchísimo más grande y menos pobre.

Habían pasado dos años desde que la vieja Ercina recibió aquella especie de carta testamentaria que alimentaba, a partes iguales, la esperanza y el sufrimiento. En la madrugada de un doce de noviembre, con la planicie helada y la atmósfera corrompida por el frío, vino un hombre por el camino de Loza y, al llegar a la altura de la Piedra Escrita, se detuvo un momento, dicen que sacó del macuto que cargaba a la espalda un papel arrugado y, después de consultarlo como si se tratase de un plano, cruzó hacia las hectáreas del Podio, en línea recta a la casa de la vieja, que era la primera en las estribaciones del pueblo.

—Ese hombre, según le oí a mi madre… —dijo Leda— vestía un abrigo muy largo, llevaba un pasamontañas y tenía la barba y el bigote muy crecidos. Tu madre se acuerda menos porque era la más pequeña, pero todo el mundo en Celama supo en seguida que se cumplía lo que la carta de Verino anunciaba, aunque a la vieja Ercina, como era de esperar, aquello le causó al principio más dolor que alegría.

El hombre llamó a la puerta del corral. Traía las manos enfundadas en unos guantes de lana y calzaba botas de media caña bien claveteadas. Parece que la vieja Ercina estaba dormida y tardó mucho en despertar. La vista ya la había perdido por completo pero dominaba a la perfección los espacios de la casa y el corral, hasta los últimos rincones. Cuando tomó conciencia de que llamaban, se incorporó

---

[3] El segundo río de Ucrania.

en la cama, y cuando escuchó la voz del hombre supo, a ciencia cierta, que Verino había muerto, duda que siempre había guardado en secreto como alimento de una inútil esperanza, y sintió miedo, un miedo tan extraño que llegaba a paralizarla y hacerle dudar si debía contestar a aquella llamada de alguien a quien también secretamente se había acostumbrado a esperar.

—El hombre hablaba sin mucho acento, aunque con frecuencia decía cosas y palabras que no podían entenderse. Estaba claro que la amistad con Verino no sólo le había servido para aprender el idioma, también para conocer todo lo que de Celama, Verino recordaba.

—La llamaba madrecita… —dijo Osina, que intentaba de nuevo guiar la yema del dedo índice por las letras borrosas—. Así la llamaba desde aquella misma madrugada hasta el final. La tía Leda dice que es el diminutivo familiar de los rusos.

—Mi madre se lo oiría en alguna ocasión. Es verdad que la llamó así aquella madrugada, cuando Ercina se levantó y bajó las escaleras para abrir la puerta del corral.

Se había puesto una toquilla sobre los hombros y bajaba inquieta, con más lentitud que nunca.

—¿Quién llama…? —inquirió, sin albergar la más mínima duda sobre la identidad del que lo hacía.

—Ábreme, madrecita… —suplicó el hombre—. Soy el hijo que viene de parte del hijo. Casi un año llevo de viaje para llegar a esta tundra, que tanto se parece a la mía.

El hielo de la madrugada seguía corrompiendo la atmósfera y probablemente la tundra[4] era en la memoria del hombre el mismo Territorio helado que derrotaba la distancia, quiero decir que el destino de tan largo viaje no parecía corresponderse con las fatigas del mismo, porque Celama formaba parte de la misma memoria.

Boris Olenko siempre reconoció, en aquellos años que vivió en la Llanura, el aroma originario de los desiertos que cultivaban la intemperie con parecidos vientos y un gemelo cansancio en los horizontes, apenas diferenciado por la sombra de los abedules.

—Ella se resistía a abrirle... —dijo Leda— porque tanto tiempo y tanta confusión la habían hecho tan temerosa como desconfiada. En el pueblo respetaban y atendían a Ercina sin que se percatase, para no abrumarla. Mi madre y mi tía decían, a la vista del cambio que se produjo en su carácter con la llegada del hombre, que nadie supo nunca lo que pudo pasar en el corazón de la vieja, porque la soledad y el sufrimiento son las mejores prendas del secreto.

—Se hizo a la idea de que era de verdad su hijo... —comentó Osina, que no lograba completar el apellido con la yema del dedo.

—El hombre vivió esos años como hijo y como ruso, trabajó las hectáreas y la siguió llamando madrecita. Nunca tuvo muchas amistades ni era demasiado elocuente, pero alguna que otra vez, en el Casino de Sormigo o en las taber-

---

[4]   Terreno abierto y llano, de clima subglacial y sin árboles. Se extiende por Siberia y Alaska.

nas de Loza y Hontasul, bebía como los más aficionados y sólo en un carro era posible volverlo a casa.

—Tampoco tardó mucho tiempo en saberse que estaba enfermo… —dijo Leda—. Cuando hay nieve y se escupe sangre no hay modo de disimular. Los tres años que Ercina lo tuvo de hijo cambiaron su carácter y luego, como dice mi madre, a la felicidad de tenerlo le sucedió la pena y la melancolía de haberlo perdido, igual que había perdido al hijo verdadero.

El hombre parecía no tener fuerzas para seguir llamando. Intentó apoyarse en el vano de la puerta y suspiró para contener el desfallecimiento y no dar muestras del mismo. Los últimos kilómetros de la Llanura habían agotado sus pasos pero sabía que debía sacar fuerzas de flaqueza, porque la ilusión de la llegada tenía que acomodarse al optimismo de estar cumpliendo una promesa o una expiación.

—Ábrame, madrecita… —repitió de nuevo— que soy el hijo que viene de parte del hijo.

—Dime si murió… —inquirió la voz trémula de la vieja Ercina.

—En mis brazos… —confirmó el hombre.

—Entonces espera que me seque las lágrimas y, mientras lo hago, vete decidiendo lo que vas a decirme en seguida, porque de esto sólo vamos a hablar ahora, cuando todavía no te he abierto ni te he visto la cara. Nadie viene desde tan lejos por razones materiales ni tampoco por una promesa sentimental, yo soy lo suficientemente vieja para saber algo del corazón humano. Lo suficientemente vieja y lo suficientemente curtida, y ni un día dejé de pensar inquieta en la carta de Verino. ¿Me estás escuchando…?

El hombre había acercado el oído a la puerta y sujetaba las manos abiertas sobre ella.

—Sí, madrecita… —confirmó.

—Pues lo que tengas que decirme, dímelo ya —le urgió la vieja Ercina controlando a duras penas la emoción y el dolor de sus palabras, que vaticinaban la presunción más oscura que durante tanto tiempo había corroído su corazón—. No me engañes y, por Dios, hazlo antes de que empiece a quererte como a él le quise.

Los guantes del hombre acariciaron las esquirlas del hielo en la madera de la puerta y el esfuerzo de la caricia preludiaba su desplome porque era como un movimiento inanimado, el rastro insensible de una huella aterida por donde su conciencia llegaba a congelarse.

Fue entonces cuando la vieja Ercina escuchó sus desolados sollozos y tuvo la seguridad de que ese llanto de arrepentimiento se compaginaba con lo más oscuro de su presunción, aquel secreto que venía turbando el sueño de sus noches, cuando el rostro rejuvenecido de Verino musitaba su nombre y de sus labios brotaba un hilo de sangre.

—Vamos, no te dé miedo… —le urgió, mientras comenzaba a abrir la puerta con el corazón invadido por la piedad.

—Madrecita… —suspiró el hombre, a punto de derrumbarse— a lo que vengo es a pedirle perdón por haberlo dejado morir.

Leda y Osina guardaban silencio. Por el camino de Loza se levantaba un viento ralo y en la lejanía de la carretera de Hontasul podía predecirse el ruido de los camiones de la Ruta.

—¿Por qué lo enterrarían aquí, estando el cementerio de Santa Trina tan cerca…? —preguntó Osina.

—Por la religión… —dijo Leda—. Boris Olenko era ortodoxo[5], como casi todos los rusos.

—¿Y a Verino…? —inquirió Osina, como si en ese instante el recuerdo del hijo verdadero de la vieja Ercina le resultara un enigma que el tiempo y la distancia envolvían sin remedio.

—A Verino lo enterró la vieja con ella… —dijo Leda muy seria— porque un hijo sólo puede enterrarse en el corazón de la madre que lo pierde.

---

[5] Perteneciente a la religión cristiana de ciertos países de Europa oriental, como la griega, la rumana y la rusa, que obedecen al patriarca de Constantinopla.

Si hay que fiarse de los invitados conviene reconocer, porque en eso existe unanimidad, que fue Belsita la que le dio la primera bofetada a Pruno. Luego Pruno se la devolvió y ya, la tercera y la cuarta pillaron por el medio a la madrina y al padrino, quiero decir que, antes de que se enzarzaran directamente en el vertiginoso cuerpo a cuerpo que les hizo caer por las gradas del altar, el padrino, que no era otro que el padre de Belsita, y la madrina, que era la madre de Pruno, recibieron, al interponerse en la reyerta, las dos bofetadas más estrepitosas y desconsideradas de la ceremonia.

Bueno, en realidad habría que añadir la que se ganó don Sero, que era el celebrante, pero desgraciadamente no fue una bofetada, fue un puñetazo, lanzado de forma desafortunada por el novio, poco antes de rodar por las gradas, y que dejó a don Sero con el ojo izquierdo a la virulé.

Hasta ese momento la ceremonia se desarrollaba con normalidad, si descontamos la visible tensión que existía desde el comienzo entre los novios, que los invitados achacaban a la falta de consideración de la novia por haber llegado tres cuartos de hora tarde, estando como estaba su casa apenas a diez minutos escasos de la Iglesia.

Se les veía inquietos, escoltados por los padrinos en el altar, intentando hablar uno con otro más de la cuenta, hasta el punto de que don Sero, en alguna ocasión, les había hecho una educada advertencia para que prestasen más atención a la ceremonia o para que se apaciguaran. La madrina contó después que Belsita estaba imposible y el padrino dijo que Pruno era un manojo de nervios.

Pero, en fin, en estos acontecimientos es, a veces, difícil mantener la compostura, porque hay una ansiedad acumulada que te hace perderla y cualquier contratiempo pone patas arriba el sosiego necesario. Lo normal es que los novios estén bajos de forma, más cariacontecidos y resignados que otra cosa, y así es como habitualmente se les ha visto en Celama, pero si los nervios se desatan no hay miramientos y, en ese caso, más que a un acontecimiento social se puede asistir a un accidente. Los invitados de la boda de Belsita y Pruno coinciden en decir que, más que un accidente, aquello fue una catástrofe.

—Conociéndola a ella… —afirmaba Sole, una de las nueve primas de la novia, que llevaba seis años sin hablarse con la misma, y asistió a la ceremonia obligada por su madre bajo la amenaza de que si no lo hacía y le daba un beso de enhorabuena, sería literalmente echada de casa— no hay de qué extrañarse. Peliculera, pagada de sí misma, con ganas de armarla a la primera de cambio. La gente es que no se acuerda de las cosas, pero ya cuando hicimos la Primera Comunión, hace tanto tiempo, no quiso abrir la boca, y cuando el propio don Sero la conminó a que lo hiciese, contestó que es que la hostia suya era más pequeña que la que acababa de darme a mí. Y hasta que el pobre don Sero no encontró en el copón otra hostia a su gusto, no quiso comulgar…

También coinciden los invitados en que todo lo que sucedió en la Iglesia de San Nono, al menos en aquel primer acto, fue tan rápido y precipitado como en esas malas comedias en las que el autor liquida los hechos por la vía del medio sin que prácticamente haya tiempo de enterarse.

Todos escucharon, eso sí, el no rotundo de Pruno cuando don Sero le preguntó si quería a Belsita por legítima esposa, el insulto de ella y el grito que acompañaba a la primera bofetada, mientras la bandeja de las arras, que sostenía un monaguillo, saltaba por los aires, y algo parecido a la amenaza de que el anillo te lo vas a tragar, se mezclaba con las otras bofetadas.

Los invitados, que llenaban la nave central de San Nono, estaban de pie, y el armonio finalizaba un motete de forma bastante desinflada.

Se oyó el no de Pruno y, los más atentos, opinaron luego que fue un no rencoroso, premeditado, no precisamente la negativa del novio dubitativo que hasta el último momento aguanta la zozobra, como le sucedió a un viudo de Omares en las terceras nupcias, que negó con un gesto contrito y lloroso, justificando después avergonzado su decisión porque no era posible que a la tercera fuera la vencida, ya que para entonces tenía otra novia embarazada en un barrio de Olencia.

—Doña Dina y don Tero miraban estupefactos desde el altar, cada uno con la mano en la mejilla donde habían recibido la bofetada... —dijo Sino, el primo segundo de Pruno, a quien le correspondía hacer de testigo— y los hijos ya estaban agarrados como dos fieras, rodando gradas abajo, sin que nadie todavía reaccionase, porque los que estábamos más cerca no tuvimos tiempo de percatarnos. Don Sero se había vuelto al altar, ya con el ojo a la virulé y, es de suponer, que huyendo de la quema, igual que el monaguillo de la bandeja que salió corriendo por el centro de la nave como alma que lleva el diablo. A Belsita y a Pruno los separamos entre Garzo y yo, con la ayuda de los que después fueron reaccionando. De lo que se decían en ese momento es mejor no hablar, porque esas cosas era la primera vez que se escuchaban en una Iglesia de Celama, posiblemente en la historia de la Santa Madre Iglesia en su totalidad.

En la reyerta, como era de prever, había sufrido más desperfectos el traje de la novia que el del novio, si además tenemos en cuenta que, en un momento dado, ella intentó estrangular a Pruno con el velo.

El ramo fue lo último que pisoteó Belsita, cuando ya habían logrado sacar al novio de la Iglesia y a ella la mantenían sentada en uno de los primeros bancos, todavía dando voces y soltando imprecaciones, mientras algunos familiares hacían salir a los desconcertados invitados que, como pasa con los espectadores de los dramas más emotivos cuando se desmorona el decorado en la escena culminante, tenían tan suspendido el ánimo que no acertaban a dónde dirigirse.

¿Qué puede hacerse en una boda después de un suceso como éste? Los invitados se arremolinaban silenciosos en el atrio de la Iglesia y vieron consternados cómo se llevaban a Belsita los padres y los parientes más cercanos, igual que poco antes habían hecho los suyos con Pruno. Nadie se atrevía a decir nada, sólo alguno de esos niños incordiantes, que en las bodas tanto se aburren, comenzaba a lagrimear y decir que tenía hambre. El banquete estaba lógicamente dispuesto en los salones del Casino de Arvera.

—Hombre, yo pienso que lo mejor es aguantar un poco… —opinó Emilio Yerto, intentando introducir una pizca de humor y optimismo en el ambiente, mientras ofrecía un pitillo a los más cercanos—. A casa hay tiempo de volver y después de la tempestad siempre viene la calma. Esos dos van a reflexionar en el momento en que se les pase el berrinche.

Don Sero salía precipitado, la teja en la mano y el ojo a la funerala. Los presentes pretendieron recibir alguna indicación pero el párroco no parecía muy propicio.

—Quiero hablar con las familias… —dijo según se iba—. La boda más que suspendida está destrozada, sólo hay que mirarme.

Emilio Yerto tenía razón, tal vez porque podía recordar la boda de un tío suyo, que no era de Celama, al que llevó a la Iglesia la pareja de la Guardia Civil, aunque en aquel caso hay que constatar que el padre de la novia era el Comandante del puesto y el tío de Yerto uno de esos seres sin voluntad y carácter a quienes la indecisión de última hora se les puede convertir en auténtica enfermedad del alma. El asunto era distinto, pero también la boda peligraba. La conducción, eso sí, se apalabró entre los progenitores, con la única condición por parte de la madrina de que no se le llevase esposado.

No habían transcurrido dos horas cuando los invitados, esparcidos con discreción por los alrededores de la Iglesia, los bares y las casas próximas de los amigos, comenzaron a ser convocados de nuevo. Era el padre del novio el que primero daba la cara para exponer, sin engorrosas explicaciones y con un talante educadamente exculpatorio y hasta forzadamente jovial, que todo estaba de nuevo a punto, y que a Belsita y a Pruno había que perdonarlos porque los nervios los habían traicionado. Le acompañaba el hermano mayor de la novia, corroborando las palabras e intentando alguna broma indirecta que, los de mayor confianza, celebraban encantados.

—Cuando se tiene el gas que esos dos tienen… —decía el hermano, ajustándose premioso la corbata.

En general los invitados reconocen que cuando vieron venir a los novios de la mano, cruzando la Plaza en dirección a la Iglesia, con los padrinos tres pasos detrás de ellos y el resto de los familiares a su vera, dieron por concluido el incidente y, algunos, no sólo por concluido sino por disculpado. Quiero decir que en ese momento todos estuvieron dispuestos a olvidar el penoso suceso, como se olvidan las desgracias que enturbian la memoria de lo que no paga el tiro recordar.

—No fue ése mi caso… —dijo en seguida Sole, la prima que hizo con Belsita la Primera Comunión—. Conociendo como conozco a esa pécora sabía de sobra que la guardaba.

El orgullo que tiene sólo es comparable a la mala idea, y si mi hermana Tilde contara lo que le hizo una vez por haber estrenado unos pololos como los suyos, se vería hasta qué punto es vengativa. A mí lo que me ahorraron los aconteci- mientos fue tener que darle la enhorabuena, y con eso me siento más que pagada.

La comitiva entró en la Iglesia y, como digo, los invitados volvieron a ocupar los bancos de la nave central con el lógico sosiego, más allá de alguna que otra broma entre los más jóvenes, indicio de que las aguas volvían definitivamente a su cauce, con el único contratiempo poco reseñable de que el armonio se había encasquillado y sonaba como la voz de un tartamudo.

Desde luego, lo que más agradecieron los invitados fue ver cómo los novios, ya situados en el altar, entre los padrinos y esperando a que saliera don Sero, se mantuvieron cogidos de la mano y, durante un momento, volvieron el rostro hacia la nave y dedicaron una sonrisa de halago y disculpa a los presentes.

Parece que don Sero tardó unos minutos más de lo debido en salir, porque en la sacristía se discutió la con- veniencia o no de que lo hiciese con gafas negras, ya que en el tiempo transcurrido el ojo se le había literalmente tapado y el hematoma iba a ser un signo muy inapropiado para la solemnidad de la ceremonia. Pero don Sero era un cura experimentado que había pechado con contingencias mucho más arduas, hasta se contaba de él que en los días perniciosos de la Guerra Civil[1] había tenido que celebrar misa con leche de oveja, sin que le importara un comino que el rito tuviera reminiscencias priscilianas[2] o que la leche se cortase, con tal de que la misa sirviera para la necesaria edificación de los fieles.

La ceremonia iba viento en popa y hasta el armonio retomaba, como buenamente podía, las notas desinfladas del motete, pero los invitados, y esto no queda más remedio que reconocerlo porque la mayoría no lograron superar la zozobra en el momento culminante de la misma, urgidos sin remedio por el recuerdo tan inmediato del desaguisado, se pusieron de pie con temor, hasta el punto de que en el interior de la Iglesia podía escucharse, como se suele decir y una vez que el armonio guardó silencio, el batir de las alas de una mosca o, mejor aún, el leve chisporroteo de las palomitas de aceite o el temblor del pábilo de las velas.

Don Sero carraspeó y cuando, dirigiéndose a Pruno le inquirió si aceptaba a Belsita como legítima esposa, ese silencio tenía la carga que auspicia las revelaciones más cruciales en los dramas decimonónicos. El sí de Pruno fue rotundo y cualquier oído medianamente dispuesto pudo percibir el suspiro de la nave y hasta algún que otro invitado, sobre

---

[1] Alude al acontecimiento histórico más importante de la España del siglo xx. Guerra que, de 1936 a 1939, enfrentó mentalidades e intereses en conflicto formando bandos contrarios dentro del país.

[2] De Prisciliano, obispo hispano del siglo iv, cuyas predicaciones obtuvieron gran éxito, especialmente entre las clases populares. El Concilio de Burdeos le condenó por hereje y fue ejecutado junto con algunos discípulos en Tréveris.

todo en las últimas filas, corroboró con gratitud, y de forma excesivamente anticipada, que habría banquete.

La voz de don Sero, ya sin carraspeos, inquirió a Belsita si aceptaba por esposo a Pruno, y según cuentan los invitados la Iglesia ya estaba lo suficientemente relajada como para que nadie se llamara a engaño. Parece que el no fue, al principio, un no musitado, que no llegó más allá del altar, probablemente ni siquiera a los oídos de los padrinos ni del celebrante, aunque sí a los del novio, porque en esos vertiginosos momentos se percibió en su cuerpo algo parecido al movimiento que produce el impacto de un perdigón.

Don Sero repitió la pregunta y, como todavía nadie en la nave se había percatado de lo que sucedía, la repetición conmocionó a los invitados e hizo que un imprevisto murmullo segregara el estupor, como si uno de los candelabros del altar acabara de estrellarse en el suelo, cosa que por cierto sucedía en el momento en que la voz de Belsita decía un no como un latigazo y, ya ante el asombro y la consternación general, se daba media vuelta, recogía con un gesto imperativo la cola del traje de novia, después de deshacerse del velo, y bajaba decidida las gradas del altar para salir por el pasillo central con el paso más vivo que le permitían sus arreos, repitiendo que una y mil veces no, que no y que no.

—Mire usted… —dijo doña Fida, la mujer de Heleno Mera, un matrimonio tan íntimo de los padres del novio como de la novia y que precisamente habían casado a una hija la semana anterior, enterándose doña Fida en el mismísimo trance de la ceremonia, en el propio altar, de que su hija estaba embarazada porque, instantes antes de la Comunión, la requirió al oído para no tener que hacerlo en pecado mortal, reaccionando doña Fida con suficiente presencia de ánimo, pero sin poder evitar darle un golpe seco al novio, que perdió el equilibrio y rodó gradas abajo— en el fondo son chiquillerías, caprichos bobos de novios consentidos. Yo estoy convencida de que a la tercera va la vencida, del mismo modo que la semana pasada salí de la boda de mi hija, con ese desgraciado de Potro, con la convicción de que serán trillizos. Hay que tomarlo con calma, pero ya verán como la boda se celebra finalmente esta tarde aunque el banquete ya esté frío.

El desconcierto había llegado al límite y los invitados, por mucho que dijera doña Fida, ya no tenían recursos morales para alargar la espera, habida cuenta de que las negociaciones familiares, si se daba el caso, serían ya mucho más procelosas y complicadas. No había a mano ningún pariente de los novios, y sólo los deudos hacían corros discretos antes de dispersarse, porque, además, seguir a la expectativa ya parecía hasta de mal gusto. Don Sero había vuelto a salir de la Iglesia sin querer hablar con nadie y las gafas negras eran lo que mejor resumía el destino de la jornada.

—Nos fuimos… —contó después Emilio Yerto— como hay Dios que nos fuimos, y cuando aquella tarde los familiares de uno y otro fueron casa por casa, pueblo por pueblo, pidiendo disculpas y convocándonos para las siete en punto porque ya todo estaba solucionado, nadie se negó, entre otras cosas porque a las familias todos las apreciábamos y, en aquel momento, compadecíamos, y porque, a fin de cuentas, lo que nos proporcionaba el día era un espectáculo de los que habitualmente no se ven y luego se cuentan. El banquete en el Casino de Arvera no fue todo lo bueno que hubiera sido de haberse celebrado a su hora, pero baile más animado yo no recuerdo…

La verdad es que los invitados se encontraron esa tarde con la grata sorpresa de ver a los novios, con los padrinos, esperándoles a la entrada de la Iglesia de San Nono y, uno a uno, según iban entrando les daban un beso y pedían disculpas, lo que motivó muchos comentarios graciosos, suficientes para que el ambiente se relajara por completo y la idea de la boda adquiriera un aire disparatadamente festivo. Cuando Pruno dijo sí y Belsita le secundó con la misma afirmación rotunda, los invitados comenzaron a aplaudir y don Sero tuvo que solicitar sosiego y compostura.

Pruno y Belsita fueron en Arvera uno de esos matrimonios tradicionales, padres de familia numerosa, que al cabo de los años perdieron la aureola de Novios de Celama, que es como se les conoció durante un tiempo.

Hay en Celama cinco o seis noches al año en que la Llanura alcanza la vibración extrema del vacío, cuando la quietud hace temblar la atmósfera como tiembla la nada cuando se congela. Son noches temidas e inquietas en las que es fácil sentir el desamparo o verse prisionero de un presentimiento que une lo más oscuro de lo que nos pudo suceder con lo más oscuro de lo que nos aguarda, como si el tiempo no existiera y la memoria patinase entre el presagio y el recuerdo.

En una de ellas, la de un siete de febrero, el médico de Los Oscos, salió a cumplir un aviso urgente para visitar a una anciana del pueblo de Las Gardas, allá por Los Confines. Este médico se llamaba Ismael Cuende y llevaba media vida en la Llanura, era un sesentón bonancible y solitario, fumador empedernido, bebedor inmoderado pero discreto, que había contado con la compañía de su madre hasta su muerte y, desde entonces, con la esporádica de alguna mujer del pueblo, afianzadas sus costumbres domésticas a una modesta supervivencia.

Salió Ismael ya montado en la mula del corral, sujeto el maletín a la montura y con la tagarnina en la boca. Iba bien pertrechado porque el camino era largo y la noche presumiblemente fría y, además de la zamarra, se había echado una manta por los hombros. La mula asomó al inmediato camino y, como era habitual en ella, se detuvo un instante, lo suficiente para que Ismael le rozara el vientre con la bota derecha para que atendiese la orden.

—A Las Gardas, Mensa… —requirió, sujetando la brida con la mano derecha y cogiendo la tagarnina entre los dedos de la izquierda— por el Podio, los Llanares y Ordalía.

Ismael Cuende tardó en percatarse que aquella era una de esas noches de Celama, tal vez porque en el inicio del viaje no tenía otro pensamiento que el que alimentaba la preocupación de un enfermo del Argañal que llevaba varios días con unas fiebres demasiado extrañas, y al que debería haber enviado a Olencia aquella misma tarde, cosa que tendría que hacer urgentemente al día siguiente si no percibía ninguna mejora. También pensaba en un niño de Dalga a quien un perro le había destrozado medio brazo: algunos puntos estaban infectados y la compostura no acababa de satisfacerle del todo.

Fumó la tagarnina y con la colilla encendió otra y hasta alejarse de las hectáreas de Podio, por el enrevesado camino que confluía hacia la huerga, no tuvo la sensación de que nada se moviera en la Llanura. La bóveda del cielo era un fanal helado y el brillo muerto de las estrellas fácilmente podría confundirse con el fulgor mortal de la escarcha que se reflejaba en el espejo del firmamento.

—Vamos a ir todo lo rápido que podamos, Mensa…
—musitó sin quitar la tagarnina de los labios, apretando
las rodillas en los lomos de la montura y observando con
desazón la profundidad helada— porque no es la mejor
noche para entretenerse la que está más quieta, si los viejos
de esta tierra de veras saben de estas cosas…

No era precisamente Ismael Cuende un hombre medroso.
Sus temores provenían con más frecuencia de la inquietud
del sueño que de las amenazas de la vida, porque en la vida
estaba curtido a base de velar por ella en los otros, y despreo-
cuparse de la suya en la medida de lo razonable.

La inquietud del sueño era lo que más incrementaba, en
la experiencia de un soñador persistente, las emociones más
desoladas, aquellas que con bastante reiteración consumaban
el secreto de una dolorosa melancolía. El tabaco y el alcohol
eran para Ismael dos armas habituales de huida: la primera
en los gestos más cotidianos de una disipación sencilla, y
la segunda en el interior de sus zozobras, cuando, cada vez
con mayor frecuencia, la ansiedad que legaban los sueños
colmaba la angustia de su destino solitario.

Todo el mundo en Celama apreciaba a don Ismael y todos
respetaban con igual cautela esa celosa intimidad que le
convertía en un extraño, tal vez todos convencidos también
de que ese grado de intimidad siempre encierra un secreto,
y nada hay más respetable que los secretos.

Fue al tener conciencia de que otra vez atravesaba las hectáreas de Podio cuando sujetó la brida para que la mula se
detuviese. El fanal contenía el vacío y en el vacío la desorientación acarreaba una misma mezcla de espacio y tiempo, tal vez

porque en la noche el tiempo y el espacio no existían. Las hectáreas acababa de cruzarlas hacía diez minutos o un instante.

—¿Qué te pasa, Mensa…? —inquirió, mientras la mula alzaba la cabeza molesta, como si el instinto de su desorientación fuese el más apacible y necesario—. No estás en la Noria, no es el círculo ciego de cuando eras joven, tenemos que seguir en línea recta por la huerga hasta el camino de los Llanares y Ordalía. ¿Es que perdiste el tino…?

Había escupido la colilla de la tagarnina y, cuando hizo el intento de buscar la cigarrera para extraer otra, una profunda desgana acometió su ánimo, hasta el punto de que la brida se le fue de las manos y la mula, que sintió la suave libertad del tiro, acentuó ligeramente el paso, haciendo que Ismael perdiera por un momento el equilibrio.

Fue entonces cuando tuvo la sensación de que la cabeza se le iba, como si el vacío de la noche hubiese entrado en ella hasta hacer desaparecer todo atisbo de conciencia, acarreando también la emoción de un vértigo helado, el sentimiento de que todo lo que pudiera quedar en su interior eran pérdidas, huellas sin identidad que se congelaban porque no remitían a ningún recuerdo, ya que era la nada la que sustituía a la inteligencia y a la memoria.

Cabeceó con una sensación de sueño, aunque su voluntad, todavía no borrada por completo, le inclinaba a pensar que no era sueño sino desaliento, la misma desgana que le rendía como si fuera el mejor camino para aceptar una especie de derrota mental y física que la noche le infligía sin reservas, como si fuese la noche el campo de batalla de una guerra mortal y silenciosa.

Ismael Cuende cabalgó en la mula por el camino de los Llanares y la mula, de cuando en cuando, volvía al círculo ciego de la Noria, a los pasos de su juventud sojuzgada, como si esos pasos fuesen los que definitivamente habían marcado su instinto desorientado.

Brillaba la noche con más fuerza según se alejaban del interior de la Llanura, como si las hogueras frías que hacían arder el espejo mortal, estuviesen encendidas en la demarcación de Los Confines, formando también un círculo que atenazaba Celama en la desorientación del firmamento.

Fue ya en los límites de Ordalía, donde comenzaban las hectáreas de Las Gardas, en el erial terroso que salpicaba la nieve con esa vejez de níquel que adquiere la nieve entre los cantos oxidados, cuando la mula se detuvo e Ismael no logró sujetar el vértigo de la inmovilidad y cayó al suelo. Tardó un rato en percatarse de que estaba tendido boca arriba y que la mula resoplaba a su lado, inquieta y sumisa, como si se sintiera culpable de aquella caída que dejaba a su amo al borde de sus pezuñas.

—Mensa... —musitó Ismael, más inconsciente por el vacío que se había apoderado de su cuerpo y de su alma, que por el golpe recibido al caer— avisa para que me recojan, no me dejes aquí tirado...

La nada vibraba en el corazón de la noche. Ése iba a ser el recuerdo más amargo de Ismael, un recuerdo que también concernía misteriosamente a su existencia, porque cuando tiempo después comentase aquella experiencia con alguno de los viejos de Celama, que siempre estaban muy poco interesados en hablar de estas cosas, le confirmarían que el fondo más tenebroso de la misma era lo más profundo de lo que de uno involucraba en ella, aquella especie de espejo fatal de las desazones de nuestro interior más oculto.

La mula se alejó unos pasos e Ismael fue recobrando la lucidez después de un tiempo extremadamente confuso, sólo aliviado en algún momento por la duda del sueño, por la incertidumbre de que fuese el sueño quien contenía la totalidad de aquel desafortunado viaje.

Mensa lamía la nieve. Una brisa leve movía las esquirlas heladas que parecían pavesas de la hoguera que se apagaba en el horizonte. El vacío se diluía en el fanal porque la noche ya tenía el preludio de la madrugada en sus escotaduras.

Ismael se incorporó con dificultad, recogió la manta y la devolvió a sus hombros, llamó a la mula que se acercó más sumisa que inquieta. Montar le costó menos esfuerzo y, cuando se sujetó en la silla y tomó las bridas, sintió el imperioso deseo de encender una tagarnina.

—Ahora estoy despistado… —reconoció observando alrededor, como si el erial fuese todavía el paisaje del sueño o del delirio—. Voy a volver a fiarme de ti, Mensa… —dijo, aflojando la brida y dejando que la mula retomara el camino hacia Las Gardas.

La vieja que tenía que visitar ya había muerto cuando llegó.

—Estas noches son criminales para quienes ya tienen más edad de la debida… —le dijo un pariente resignado.

El médico de Los Oscos bebía agradecido una copa de aguardiente y veía caer la nieve con igual resignación sobre el corazón de la tierra mendiga.

Parece que fue en los tiempos antiguos, los que pueden sumar algún siglo en la medida peregrina de esta tierra, porque de otros ni hay memoria escrita ni nadie sabe nada, cuando el primero de los Rodielos se estableció en la Hemina de Lepro con su exigua familia y de ella, y de las circundantes, tomó posesión, precisamente por ese procedimiento: el de la posesión que luego acarrea la propiedad, cuando nadie la discute.

Las tierras pobres no son de nadie a base de ser pobres, y suele ser la miseria de las mismas la que mejor avala el olvido de los Registros. Tierras sobrantes, decían algunos en Celama para indicar las que estaban fuera de todo destino, porque sólo el cansancio de verlas producía tanto desánimo como vergüenza. Tierras dejadas de la mano de Dios que la más recóndita escritura de algún Archivo Histórico nombraría en la carencia, quiero decir con una fórmula que las mentaba en el confín de lo que ya no tiene nombre.

Pero los Rodielos parece que vinieron cuando alguno de los antepasados más remotos se extravió por la Llanura o, vaya usted a saber, con la intención aventurera que infunde un ánimo desorbitado a los que conocemos como pioneros.

Lo que quedó claro es que, cuando en algún momento de los pleitos más sonados en que se vieron metidos, hubo que rehacer lo que pudiera parecerse a una testamentaría, la estirpe de los Rodielos evidenció una línea hereditaria que subía por el siglo como una serpiente y asomaba a los tiempos antiguos con la cola indecisa, porque encima del siglo en cuestión había otro y el único rastro de la mayor lejanía era el mismo nombre de cada cabeza de familia, un Olivio Rodielo que, de cuando en cuando, tartamudeaba, aunque no todos ellos fueron tartajas, pero sí los más cerrados y violentos, según se sabe.

Con un poco de imaginación, podríamos situarnos en la Hemina de Lepro allá en un mediodía del mil ochocientos, fecha arriba o fecha abajo, y podríamos ver al pionero de los Rodielos, el primer Olivio de las Dinastías del Erial, probablemente cargado con los cuatro enseres de su patrimonio y la esquilmada familia. O en algún pueblo cercano le habían dado la orientación y el destino, diciéndole que aquellas tierras eran un regalo para quien las quisiese, o venía con alguna otra encomienda que desconocemos. El caso es que podemos figurárnoslo sobre la enseña rapada de la Hemina dispuesto a acampar, que es lo primero que hacen los pioneros cuando llegan a donde deben.

De ese Olivio a los que le sucedieron, hay un patrimonio humano ni muy conocido ni muy querido en Celama, hasta que tantos años después los Rodielos desaparecieron del mundo, porque ni siquiera en esa soledad se puede vivir sin compañía, quiero decir que en fechas paralelas, año arriba o año abajo, tuvieron los Rodielos muy cerca a los Baralos, otra estirpe que más que pionera parecía trashumante pero que, en el ir y venir de su trashumancia, fue cogiendo apego a lo que llamamos la vida sedentaria.

La desgracia de ambas estirpes fue la vecindad y el destino incierto de la frontera que escindía las hectáreas de una y otra, en una tierra como aquella, en que sólo el abandono y el olvido eran las medidas agrarias más justas, porque nadie quería sentirse dueño de lo que sólo servía para ir muriendo un poco más cada jornada.

Historias de ellos se cuentan muchas en Celama pero probablemente la que mejor caracteriza el pleito y el aborrecimiento de sus afrentas es la de la Gallina Cervera que, durante años, compatibilizó la desgracia de las dos dinastías. Muchos heridos y algún que otro muerto dan buena medida de lo que el odio y la envidia pueden socavar en los ánimos irreconciliables, sobre todo si esos ánimos se alimentan exclusivamente de ese pan.

El Rodielo de turno tenía cuatro hijos y una hija. El Baralo de al lado tres hijos. Las estirpes habían llegado en aquellos años a un acuerdo meramente táctico que consistía en haber delimitado, más o menos a ojo de buen cubero, una Tierra de Nadie en el límite de las hectáreas, ceñida a una franja sin cultivar de unos seis metros. El secano a nadie hace rico y, como decían en Celama, los metros cuadrados que desperdicias siempre es trabajo que te quitas de encima. La franja, eso sí, era vigilada con todo el rencor posible y la delimitación de la misma más que a un pacto de armisticio y distancia se debía a un mero intento de sosiego en la subsistencia, quiero decir que hasta las mismas cosechas eran continuamente perjudicadas y una parte importante del hambre de las familias provenía de los desmanes de las desavenencias. Cebadas arrasadas, trigos quemados, machos heridos, herramientas robadas y hasta el agua del Pozo de la Hemina de Lepro echada a perder con malas hierbas.

De la casa de los Rodielos a la casa de los Baralos había la distancia que alcanza la vista y, aunque habitualmente, unos y otros procuraban trabajar al tiempo las hectáreas más lejanas, para no tener que verse, era imposible sustraerse por completo a la presencia familiar, lejanos y ajenos pero continuamente dispuestos a hacerse malos gestos o a subir la voz con un improperio para quien quisiera adjudicárselo.

Dicen que la Gallina Cervera, que era un hermoso ejemplar de gallina guineana, más alta que la común y con una rampante cresta ósea, muy distinta de las desvalidas gallinas de la Llanura, esmirriadas y ponedoras, eso sí, que sólo lograron alzar la raza cuando un industrial de Sormigo importó los gallos de la Cochinchina[1] y Ancona[2], apareció, como una de esas hembras sin destino que hacen posada una noche donde alguien las solicita y se quedan luego vencidas por el halago y la indolencia.

La verdad es que se la vio por vez primera un mediodía, en el límite de la franja fronteriza, y aquel mediodía el mayor

---

[1] Parte meridional de Vietnam. Se dice para referirse a algo que está muy alejado.

[2] Ciudad de Italia.

de los Rodielos, otro irremediable Olivio, y el mediano de los Baralos, labraban a paralela distancia, de espaldas uno a otro y, sólo de cuando en cuando, alzando la azada con el gesto de una amenaza muda.

Parece que la Gallina la vio primero el mediano de los Baralos, quieta y oronda en el límite mismo y, con más nerviosismo del preciso y no excesiva habilidad, comenzó a chistarla para atraerla, lo que en seguida motivó que Olivio se removiera como alma que lleva el diablo, ya que insultarse con la llamada de las gallinas era el más bajo de los oprobios.

Sin asustarse, tan oronda y pagada de sí misma como siempre se mantuvo, con esa inconsciencia de las damas preciosas que acarrean la desgracia de quienes por ellas pugnan sin enterarse de la misa la media, la Gallina Cervera avanzó por la raya fronteriza mientras, a uno y otro lado, los presumibles raptores se comían la empuñadura de sus respectivas azadas. El mediano de los Baralos quiso hacer valer su derecho de haberla visto primero, pero Olivio alzó el hacha de guerra con la misma decisión de un amante enojado en la disputa de su dueña y señora. Fueron los primeros heridos graves en aquella guerra de plumas ensangrentadas, ya que la Gallina difícilmente logró sacudirse la salpicadura de las heridas de uno y otro.

Puede que la belleza de la Gallina Cervera exacerbara el odio tribal de las estirpes, quiero decir que probablemente un bicho menos vistoso y preciado, más común, no llevase tan lejos la conflagración. Alguna que otra vez un perro o un gato habían dado pie a un escarceo y lo más grave que podía suceder es que el perro desapareciese o el gato llegara al pote de la familia de turno, pero la Gallina levantaba otras pasiones y, además, no era de nadie, lo que supone que la pasión de la propiedad estaba por decidir, aunque cada cual entendía que esa decisión estaba perfectamente saldada desde que apareció: los descalabros de los hijos daban fe de la convicción de cada cual.

La Gallina debió sentir ese mismo halago de las damas codiciadas y con persistencia, como si hubiera aprendido que el territorio de la franja la liberaba de sobresaltos, paseó y picoteó por él arriba y abajo, sin salirse ni un centímetro.

Las familias, después de curar a los heridos, seguían con la mirada el cuidadoso paseo, atentas al más leve desliz, pero convencidas de que las damas asustadizas son las más peligrosas a la hora de descontrolarse, y un mal gesto o una llamada inoportuna podían provocar la reacción contraria: la huida de la dama al terreno enemigo, donde sería cazada sin remisión.

Fue discurriendo el día y la Gallina Cervera siguió acrecentando la irremediable coquetería al verse tan admirada, al sentirse el objeto de una atención sin desmayo. Las carúnculas de sus mejillas se habían hecho más rojizas y el plumaje, de un negro azulado, brillaba remarcando los tornasoles de las pequeñas manchas blancas, mientras alzaba la cola corta y puntiaguda y mostraba elegante sus tarsos sin espolones.

El abuelo de los Rodielos, que era el único que había decidido no perder el tiempo contemplando a aquella señoritinga, aunque no podía soportar la idea de que fuera el padre de los Baralos el que, al fin, se apoderase de ella, decidió, sin consultar a nadie, que quien mejor podía resolver el asunto era el gallo bermejo que tenía en el corral, un bicho con más años que espolones, al que no consentía que sacrificaran, y con mucha más ciencia que el gallo joven que en la actualidad se encargaba de las gallinas.

—A esa putilla —pensó el abuelo—, la pone en su sitio sin mancillarla siquiera.

Esperó la ocasión eligiendo el momento en que la expectación era más baja y soltó al gallo bermejo que, después de un instante de desconcierto, avistó a la Gallina Cervera y fue hacia ella erizando los espolones y alzando el cuello, como un galán maduro que difícilmente disimula la cojera pero es capaz de mantener, al menos un momento, la apostura de los mejores tiempos.

La Gallina quedó paralizada y el bermejo llegó a su lado intentando apresurar penosamente la carrerilla, y fue en ese momento cuando el abuelo Olivio vio que el gallo recibía un proyectil en la cabeza y caía seco al lado mismo de la Cervera.

El proyectil había salido de la mano del hijo pequeño de los Baralos y en la gresca que en ese instante se armó participaron como contendientes todos los miembros presentes de ambas familias, resultando heridos de gravedad el hijo mayor de los Baralos y el abuelo Olivio quien, precisamente fallecería mes y medio más tarde sin ya haberse levantado ni un día de la cama, exigiendo que el bermejo fuera enterrado y no comido, aunque el sopicaldo con que se le alimentó los primeros días tenía, según pudo constatar airado, el sabor de los valientes.

Fue un gallo convaleciente de los Baralos, un bicho que otorgaba la galladura enfermiza de las estirpes que se acaban, el que se llevó a la Gallina Cervera al huerto, y esto sucedió después de la gresca, cuando los ánimos estaban más que aplacados, derrotados, mientras los heridos se retiraban del campo de batalla.

Hay un momento culminante en que toda gallina se entrega y, como a veces pasa con las personas, el más remolón, el que más aguanta, es el que conquista a la señorita remilgada a quien acaba perdiendo la necesidad. La verdad es que el gallo demediado de los Baralos estaba, como mucho, para una necesidad, y quien pudo contemplar y admirar a la Gallina Cervera en el boato de sus plumas mejores, difícilmente podría entender que cayera tan bajo.

Quienes menos lo entendieron y, sobre todo, se resignaron, fueron los Rodielos, abatidos por la derrota de ver a la dama en el corral vecino, pero dispuestos a rescatarla con la misma determinación con que el Príncipe rescata a la Princesa en el torreón de los felones.

La primera escaramuza de un Rodielo, excesivamente intrépido y confiado, le llevó a perder el juego del brazo derecho y a quedar lisiado o, al menos, impedido, incapacitado también para meneársela, según publicaron con malevolencia los contumaces Baralos, al menos los más pajilleros de ellos.

También se lisió un Baralo, el pequeño, en una desgraciada persecución en la que el mayor de los Rodielos le hizo creer que había secuestrado a Cervera, y en el mismísimo Oasis de Broza le cazó con un cepo y le destrozó el empeine de la pierna izquierda, dejándole más cojo que al Pirata del Yermo, uno de esos personajes fabulosos de Celama con que las abuelas asustaban a los nietos para que se durmiesen, contándoles el cuento del Pirata que con la pata jerela tocaba el laúd y se rascaba la nariz.

Pasaban los meses y venían los años con la misma demora con que la Gallina Cervera se había hecho reina del gallinero de los Baralos, y con la misma insistencia con que las dos Dinastías del Erial se seguían infligiendo las más atroces afrentas, ponía la Gallina los huevos, que los Rodielos consideraban cautivos y robaban o cascaban siempre que les era posible.

Hasta que un día, sin saber cómo, porque si algo existía en la conciencia de los Baralos como norma inquebrantable era la custodia de la dama, que ya devenía en matrona, la Gallina Cervera se fue del gallinero, picó por la frontera donde un nieto Rodielo cazaba gusanos, y cruzó a la tierra enemiga, dicen que atraída por un raro reclamo de gallo pendenciero, o hastiada por la melancolía de las ralas galladuras de los amantes de un corral cortesano, donde la indiferencia estaba a punto de convertirla en clueca.

Aquella fue la ocasión en que los Baralos, armados hasta los dientes, se dispusieron a cruzar la frontera para rescatar a la dama, con el ánimo no menos alterado que el de los griegos cuando Paris raptó a Helena y dio pie a la guerra de Troya. Ciertamente el Paris de Cervera era ya un gallo cochinchino capaz de ponerle las plumas del revés a cada acometida, dueño de una galladura que para sí hubieran querido los genitores de las dos encontradas Dinastías del Erial.

Descalabros, contusiones, heridas variopintas, era el saldo de la batalla, y el armisticio, con la ayuda de un vecino de Sormigo, a quien hubo que recurrir para que la contienda no derivara en exterminio, quedó pactado de una forma que a ninguno de los contendientes convencía, pero que no había medio de rehusar, porque matarse todos era, al fin, un trabajo más costoso que el de limpiar de piedras las Heminas, aunque en eso en Celama puede que no hubiera unanimidad.

El pacto consistía en rememorar el mediodía en que, años atrás, la Gallina Cervera había asomado milagrosamente por en medio de las hectáreas dinásticas, y de nuevo depositarla en el mismo sitio para que, sin reclamos e incitaciones de ningún orden, tomara la Gallina la decisión que más le conviniera, resignándose unos y otros a aceptar esa decisión.

Fue un vecino de Sormigo el encargado de situarla en el lugar indicado y, a uno y otro lado de la frontera, respetando escrupulosamente los metros que la demarcaban, aguardaron los Rodielos y los Baralos a que la voluntad de la matrona determinara su preferencia. Unos y otros, eso sí, diezmados y maltrechos, con vendajes y cabestrillos, ojos a la funerala y contusiones, mirando a Cervera con la paralela ansiedad con que el odio les hacía mirar a los enemigos.

Y por lo que cuentan las abuelas de Celama que, a veces cuentan esta historia en vez de relatar las dichosas aventuras del Pirata del Yermo a los nietos que no quieren dormir, la Gallina Cervera se quedó muy quieta en medio de la franja divisoria, tan quieta que parecía que iba a desvanecerse y, cuando ya todos comenzaban a pensar que estaba poniendo un huevo, se alzó con la prestancia de sus mejores tiempos y caminó por la línea del erial tan altiva como en su día lo había hecho, enrojecidas las carúnculas de las mejillas y lustroso el plumaje de una negrura azulada.

Todos fueron tras ella y todos la vieron salir, con el mismo empaque, de las hectáreas, y perderse, más allá de cualquier previsión, por la tierra extraña de la infinita Llanura, donde Rodielos y Baralos ya no tenían ni posesión ni propiedad.

—¿Cómo está, madre…?

—Estoy quieta.

—Me dicen que se encuentra bien y que tiene buen apetito.

—Lo que digan en Olencia no es lo mismo que lo que dirían en Valma.

—¿La tratan bien, tiene alguna queja…?

—No me muevo, no puedo quejarme. Cuando pienso que tengo que ir a algún sitio me doy cuenta de lo cansada que estoy. En el Caserío no había tiempo de pensar en estas cosas.

—Pero tiene que salir al patio. Dar un paseo de vez en cuando es bueno. Ahora las mañanas están templadas y da gusto…

—El patio tiene un árbol y un banco, es un negrillo. Si quieres, lo ves desde esa ventana.

—Hay que animarse, no queda más remedio. Da usted un paseíto, sube y baja las escaleras, se mueve un poco.

—Quieta no quiero nada y nada necesito. Me levanto y me acuesto, eso sí lo hago porque, además, de otro modo las monjas no lo consentirían, y al pasillo salgo cuando arreglan. Pero no es lo mismo Olencia que Valma, esto que aquello, de lo que me acuerdo y de lo que no me acuerdo...

—Es que no hemos podido vivir como hubiéramos querido. Las cosas salieron mal, madre, pero es mejor no hablar de ello, nada se adelanta.

—Estoy quieta, estoy a gusto, no hay de qué preocuparse.

—El médico, don Selmo, dice que si usted pusiera algo más de su parte...

—No tengo nada que poner. Ese hombre no entiende que no tengo nada, del mismo modo que nada me queda. Con la inyección y las pastillas ya está todo el gasto hecho. Los de Olencia siempre fueron más pelmas que los de Valma, allí se dejaba en paz al que quería que lo dejasen...

—Es por su bien.

—Por mi bien estoy tranquila y todo lo que sea dejarme en paz es lo que pido.

—Queremos ayudarla.

—Tú lo haces con venir a verme.

—Menos de lo que quisiera.

—Nunca puede hacerse lo que más se quiere, al menos los que no tuvimos posibilidades. Me hubiera quedado en Valma y jamás hubiera pisado Olencia. El Caserío, de lo poco que recuerdo, es lo que más sigo echando en falta.

—Yo también.

—Tú te fuiste temprano, pero no sé cuándo. La idea de cambiar la Vega por Celama no sé a quién se le pudo ocurrir.

—En aquella casa, después de lo de padre, era mejor una boca menos que una boca más, aunque fuese la boca de un chico. Si el tío Ascario vino a por mí, eso había que agradecerle.

—Jamás me gustó ese hombre y siempre tuve la idea de que Olina no se había casado bien. No me gustan los hombres que pegan a los perros ni las mujeres que maltratan a los gatos. Unos y otras tienen malos sentimientos. Los bichos también son de Dios, aunque Dios cuida muy poco lo que creó.

—Podemos contarlo, madre. Lo que sufrimos, usted sobre todo, debió servir para que sigamos vivos. Por eso conviene que se cuide, porque ahora por lo menos está quieta y tranquila.

—Ni sé cuándo te fuiste ni me acuerdo bien de los hijos que tuve ni del hombre que se me murió. Sólo de Valma, del Caserío, del arroyo, de la perra Quinina, de un pendiente que perdí entresacando remolacha, y de aquel tordo amaestrado que siempre andaba saltando por las habitaciones. Los nombres de los hijos tampoco los retengo, y el hombre que se me murió era rubio y cariñoso pero nada más sé de él…

—Es que Amparo y Sepa viven demasiado lejos, madre. A fin de cuentas, lo más a mano de Olencia es Celama y, sin embargo, ya ve usted que, como mucho, puedo venir una vez al mes.

—Celama está ahí al lado, casi puede vérsela desde las ventanas de arriba, por lo que un día oí a una paisana que intentaba hacerlo. Yo me parece que nunca estuve.

—Nada se perdió.

—Pero tú la conoces bien.

—Si veinte años no son suficientes, ya me dirá usted. Veinte años de andarla de un lado a otro porque, lo mismo el pastor que el obrero, van y vienen donde hay que hacer. Con las ovejas o haciendo Pozos me los he pasado, y con aquellas sigo.

—Lo mismo dicen que es un erial que una llanura o un desierto.

—Hay dos Celamas, la antigua y la nueva. Desde que llegó el agua del Pantano las cosas cambiaron. El secano es ahora el regadío que sólo podía apreciarse alrededor de los Pozos. Figúrese el yermo hecho vega…

—Creo que no estuve pero sí soñé con ella. Los niños y las niñas de la Vega soñábamos que todo lo malo que pudiera sucedernos en la vida nos sucedía en Celama, en la Llanura, como se la llamaba. Ya es mala suerte que a un hijo te lo tengan que llevar allí…

—Lo que más recuerdo es esa impresión de pobreza y desorden. Haber visto los sembrados de la Vega y tener que mirar el pedregal, las hectáreas muertas, daña los ojos. Luego uno se hace porque, al fin, lo que se suda es lo que se quiere, cuando no hay otra cosa. Yo me acomodé a esa tierra a base de andar solo por ella, porque el pastor es el mayor solitario, y la soledad no es mala compañera para comprender el mundo, cosa que tarde o temprano conviene hacer, porque en él vivimos. Y mire qué cosa más rara, ahora que usted dice eso del sueño: lo malo que me sucedía, cuando de chaval soñaba por aquellas hectáreas, ya que en ellas me tocaba dormir, verano o invierno, que eso da lo mismo, me sucedía en la Vega, donde los sembrados y las praderas, en la chopera del río o en las aguas del mismo, en las que más de una vez me vi ahogado…

—En esas noches, por lejos que estuvieses, acabarías viendo el Sólido. Desde esa ventana, algunas que no duermo, intento verlo pero no es posible. O el tiempo no es el mismo o el firmamento cambió…

—Resulta igual en Celama que en Olencia, de eso no tenga duda. Lo que de noche hay en el firmamento es lo mismo para todos los lugares. Veo la vara del Carro Triunfante[1] cuando son las dos de la mañana y aparece tras las Tres Marías[2], y cuando la vara da la vuelta completa y se va retirando son las tres. Entonces ya se puede calcular que viene el Sólido del Alba[3] y tres cuartos de hora después de verlo, amanece.

—Antes amanece en Valma, hijo mío. La noche siempre fue allí menos espesa.

—Puede que así sea, pero si algo tiene Celama por encima del resto del mundo es el firmamento. Las noches claras en ningún sitio se igualan.

—Ni se te ocurra pensarlo. La tierra que es pobre y desordenada no puede tener orden y riqueza en el cielo que la preside. Eso ni se te ocurra decirlo. El día que te dé por irte, vayas donde vayas, a nadie digas que viviste en Celama, di

---

[1] La Osa Mayor.

[2] Las Tres Marías son las tres estrellas que forman el Cinturón de Orión.

[3] Seguramente se refiere a Venus.

siempre que eres de la Vega, de donde el afluente menor del Sela desemboca. Me da miedo que a un hijo mío lo tomen por hijo de ese desierto.

—Los años me hicieron agradecido, madre. A serlo me enseñaron usted y mi padre cuando era muy niño. Con esa tierra llevo compartidas casi todas las horas de mi existencia, ya le dije que el pastor es el mayor solitario y las suyas son las horas que más duran.

—Vete, si vas a seguir por ese camino. Si no tienes mejor conversación que ésa, toma la puerta y vete, y ni siquiera dejes esa caja de rosquillas, porque puedo aborrecerlas viniendo de un hijo que se hizo a la tierra de la que en la Vega siempre soñamos las peores cosas.

—Lo que voy a hacer es ayudarla a que se acueste. No sé si esta cama es todo lo cómoda que debiera, puedo hablar con las monjas para que la cambien.

—Mientras esté quieta estoy cómoda.

—Con un poco más de ánimo, lo estaría mucho más. Para alimentarse bien, conviene moverse, hay que estirar las piernas…

—De los hijos que tuve, tú no eras el más guapo ¿verdad…?

—¿Es que me ve feo…?

—Te veo raro con esas gafas, porque nunca pude pensar que un hijo mío necesitara gafas, del mismo modo que se me hace difícil pensar que un hijo mío sea pastor.

—Es un oficio como otro cualquiera, y no es el único que sé.

—Los otros dices que están muy lejos…

—Algún día vendrán a verla.

—¿Cuántos son y cómo se llaman…?

—La chica Amparo y el chico Sepa. Sepa es el mayor, Amparo la mediana y yo era el pequeño. ¿De veras no se acuerda de ellos…?

—Tampoco sé cómo te llamas.

Los primeros que subieron de Celama al Pantano de Burma para ver la Obra Hidráulica que convertiría en regadío el secano irredento, cuando ya las aguas estaban embalsadas, volvieron muy impresionados y, después de hacerse lenguas sobre el tamaño de la presa y la belleza de aquel rincón de la Montaña, comenzaron a confesar que lo más inolvidable de todo era ver las espadañas de las Iglesias de los pueblos inundados, aquella señal extraña emergiendo en la superficie como la súplica resignada de lo que estaba sumergido.

—Es el signo de los pobres... —dijo un viejo de Arvera, al escuchar el relato a uno de los hijos que había subido al Pantano—. Esos pueblos murieron para que nosotros podamos vivir y de su desgracia proviene nuestra suerte. Los ricos se apañan de otro modo, los pobres siempre somos culpables.

No fueron las razones de ese viejo de Arvera las que más se difundieron por Celama cuando el anuncio del agua se hizo realidad, tras tantos años de no acabar de creer lo que se prometía, porque la idea del Pantano y del riego era una idea extraña que parecía tan costosa como improbable.

Las razones de ese viejo de Arvera podían compartirlas muchos en lo más profundo del corazón, pero la verdad del agua en seguida impuso otras, completamente ajenas a cualquier grado de mala conciencia o culpabilidad.

A fin de cuentas en el agua, en la terrible obsesión de tenerla, radicaba el destino espiritual de Celama si, como ya se dijo, el espíritu es la razón misteriosa que infunde en la carne su deseo de supervivencia, siendo en este caso la carne la tierra, y el agua la materia de esa obsesión.

Los Pozos de Celama, que tan precariamente sangraban el yermo, se contaban por miles, y eran una multitud de esfuerzos disparatados que ponían en evidencia el coste de esa obsesión y el martirio de la misma. Que ahora existiera la posibilidad de que el agua viniese de su propia mano, por los canales y las acequias, era un extraño modo de derrotar el pasado de la Llanura, como si ese pasado se impostara con la memoria de su engaño, con el recuerdo de su ruina, como si, al fin, no fuese otra cosa que una estafa de siglos, sudor y sufrimiento.

—La tierra se va a transformar y con ella va a cambiar la vida… —decía un Ingeniero Agrónomo en el Casino de Sormigo—. Lo primero que intensifica el regadío, y de esto algo saben ustedes por sus dichosos Pozos, es el ritmo de producción del suelo. Ya se pueden olvidar del barbecho, la tierra va a producir una cosecha todos los años. Y en más de una parcela habrá que forzar una segunda cosecha para alimentar el ganado, porque la Llanura se hará ganadera sin remedio o, como poco, agrícola-ganadera. Habrá que asociar cereales con trébol o alubias con nabos, según se vaya viendo...

Los Ingenieros y los Peritos cruzaban Celama en sus coches polvorientos y durante mucho tiempo, bastante más del que parecería razonable, la expectativa de verles y escucharles no se correspondía con la irremediable esperanza de que todo aquello fuese verdad.

Subir hasta el Pantano de Burma, para comprobar que el agua embalsada sólo hacía que aguardar paciente a que se diera la orden de desembalse, cuando los primeros canales, acequias y desagües, lo hiciesen posible, despertaba cierto temor y una curiosidad relativa.

La tierra llegaría a transformarse, porque los reducidos espacios de las Norias así lo certificaban, pero el mundo no podía cambiar de tal manera, ese mundo que arrastraba un pasado que alimentaba la única memoria de la que los habitantes de la Llanura eran dueños. El desconcierto era el sentimiento unánime, raramente confesado. La sensación de que lo que se transforma se pierde y lo que se pierde se olvida, y la herencia de lo que con ello se gana se desconoce, aunque se presienta que es buena porque es nueva y distinta.

—Esto lo entenderán y disfrutarán los jóvenes... —decían o pensaban los mayores— que serán quienes acaben de verlo.

Pero eran las cosas concretas que detallaban los Ingenieros y los Peritos las que mejor ayudaban a asimilar lo que se avecinaba. La idea global de aquella Celama del futuro, verde y exuberante en sus frutos, era excesiva. Los viejos tenían la desconfianza que, desde el presente, hace que el pasado sea el único refugio y el futuro, como mucho, el paraíso de la irrealidad.

—La doble producción… —decía machaconamente el Ingeniero Agrónomo en el Casino de Sormigo, y era lo que más gusto daba oírle— habrá que planificarla con inteligencia. Por ejemplo, en un campo de cebada o trigo recién segado, habrá que sembrar el trébol en el momento oportuno, en junio. De ese modo, al cosechar el cereal ya estará lo suficientemente crecido para no obstaculizar su recogida, y para que pueda rendir, efectuada ésta, un corte o una pación. Para asociar alubias con nabos, habrá que sembrar la nabina cuando las alubias ya hayan echado los tallos, con la finca recién regada, de modo que a la hora de recolectar la alubia ya hayan nacido y no repercutan en la maduración del cultivo principal. Recogida la alubia, los nabos se irán desarrollando sin más cuidado que algún que otro riego…

Pero el agua llegó y, con ella, cuando todavía desordenadamente se la vio perderse por los canales y las acequias, incapaces los desagües de aliviarla, la idea de que aquello era lo más natural que podía suceder, como si manara de la misma entraña de la Llanura, del débito que la tierra mendiga tenía con quienes la habían habitado y labrado.

El agua mostraba el beneficioso espíritu que iluminaba la supervivencia, no el espíritu mortal de las cantidades oscuras de la entraña de la pobreza, sino el vital de las cantidades más claras que los minerales acariciaban para que, al fin, el yermo se inundase de veras con el líquido que por él corría.

Y era un agua que no había caído del cielo, ni de la lluvia rancia ni de la nieve añeja, que venía sin más con la misma intención pasajera del viento, pero no para pelar y agrietar la piel de la Llanura, sino para acariciarla e ir limando su aspereza, como si todavía fuera posible que un cuerpo tan viejo y roñoso albergara juventud.

Llegó el agua con el anuncio de las campanas de todos los campanarios de Celama, que batieron festivas y asustadas en la celebración, y ya nadie se acordó de las espadañas en la superficie del Pantano, de aquella huella inocua que se alzaba en lo alto de las torres sumergidas, cuyas campanas habrían sido arrancadas para que el légamo ocupase los ojos vacíos.

—Todo es acostumbrarse... —decía uno de los viejos del Argañal, contemplando absorto la corriente en la acequia—. La lección de lo poco la tenemos más que aprendida, ahora la de lo mucho resultará menos costosa. Lo único malo del agua es que también definitivamente anegará lo que durante tanto tiempo fuimos, y a uno le agradaría que eso no se perdiera por completo.

Había cohetes en la fiesta. Los desagües no lograban aliviar el ímpetu del líquido que desbordaba algunas acequias y conquistaba el baldío, como si una mano de cristal fuese humedeciendo el óxido de los pedregales e hiciese brotar de ellos un barro ferruginoso que enturbiaba los regueros.

Por las hectáreas más extremas corrían los niños de la Llanura perseguidos por el agua.

Hubo algunos sueños parecidos, más que sueños pesadillas, pero como el sueño es la experiencia más solitaria y secreta de nuestra condición, a nadie se le ocurrió ir contándolos por ahí, entre otras cosas porque la materia de los mismos era tan ingrata que a lo único que incitaba era a olvidarla.

Se supo de ellos porque, a la hora de explicar aquellos raros sucesos, cuando los mismos transcendieron y todos supieron de veras lo que había sucedido, los dichosos sueños cobraron ese valor de secretos que propician lo que pasa, porque todos somos más frágiles de lo que parecemos y estamos a merced de lo que quieran hacer con nosotros.

Que la vieja Armila, la solitaria viuda del Rodal, y el pobre Emerio, a quien se le reconocía la pobreza de espíritu que muchos achacaban a su destino de célibe forzoso, porque en la adolescencia había perdido en un accidente lo que por naturaleza le cuelga a los hombres, y Veda, que estaba sola desde que su marido, hacía más años de los debidos, emigró dando apenas noticia de su suerte en Navidades, soñaran algo parecido, no deja de ser una casualidad avalada, eso sí, por el ambiente un tanto febril de aquellos días en que a Celama llegó el agua, cuando los que mentaban el Pantano de Burma lo hacían aún con la mala conciencia de lo que tuvo que morir para que otros viviesen.

Luego se supo que en los tres casos, antes de los sueños hubo otro tipo de visiones, con lo que no quiero decir que fuesen sueños inducidos pero sí que, al menos, participaron del caldo de cultivo de una misma preocupación, de una común obsesión o misterio.

El sueño, tal como lo relató la vieja Armila, partía de una sensación muy ominosa e indeterminada, que tenía que ver con el agua. El agua surcaba un enorme canal y la soñadora navegaba en ella tendida boca arriba, sin dirección ni control. Lo peor era sentir que los cabellos se alzaban a contracorriente, que no reposaban mojados sobre los hombros sino levantados hacia atrás, y eso le creaba un terrible desasosiego, parecido al que también sentía cuando se daba cuenta de que acababa de perder una zapatilla y el pie desnudo no rozaba el líquido frío sino algo bastante más espeso.

Eso duraba el tiempo infinito o instantáneo que duran las cosas que se sueñan. Luego el agua del canal se estancaba, quiero decir que de pronto se quedaba quieta, que ya no corría. Y entonces el cuerpo de la vieja Armila flotaba dando vueltas sobre sí mismo pero con mucha suavidad, como si lo mecieran.

Y era en ese instante cuando empezaba a percatarse que el suyo no era el único cuerpo que flotaba en el canal, que la corriente, ahora detenida, había traído otros muchísimos cuerpos, una auténtica avalancha de ellos, con la terrible diferencia de que estaban inanimados y apenas se movían con torpeza, como gabarras mortales que provinieran de alguna recóndita esclusa.

—Tanta mortandad… —decía la vieja, cuando su sobrina Gilda la recogió, después de que todo se hubo aclarado— es el peor presagio para lo que Celama vaya a ser en el futuro. Porque esos cadáveres mojados ya podemos figurarnos de dónde vienen, sabiendo como sabemos que la mayoría de los cementerios de Burma bajo el agua quedaron, porque los Montañeses se negaron a vaciarlos con la idea de que los que reposaban en ellos en su sitio estaban…

Los sueños de Emerio y Veda eran parecidos, porque la materia fundamental de los mismos eran esos cadáveres mojados que llenaban canales y acequias, con el detalle añadido de que Veda los veía desembocar en las hectáreas, por los desagües que los esparcían como frutos fúnebres entre el óxido de los barrizales, y Emerio, al contrario que Veda y la vieja, los veía desnudos, pálidas y ajadas las mujeres y monstruosamente tiesos los hombres, con la desnudez helada y rígida de su herramienta.

La visión que preludió las pesadillas, y que se fue reiterando en las noches siguientes, era exactamente igual en cada uno de ellos, lo que indica que la casualidad de los sueños, con sus variantes, lo era menos en las visiones, más calculadas y parecidas.

La vieja Armila vio un Muerto Mojado de pie en el corral de su casa, Veda lo vio sentado en el poyo de su mismo corral y Emerio reclinado en el manzano del huerto. Los tres de noche y los tres, cuando aún no habían soñado,

tuvieron igual intención: decirle a aquel hombre que pasara
a calentarse, porque con la chupa que tenía encima podía
pillar una pulmonía.

La reiteración de volver a verlo después del sueño, una vez
en el caso de la vieja y dos como poco en los casos de Emerio
y Veda, fue lo más preocupante del asunto, sobre todo si
hilamos el suceso con lo que vino luego, considerando que
en ninguno de los tres casos el sueño se repitió.

—Miren ustedes... —confesaba con poca convicción
Emerio en el Cuartelillo del Rodal, donde Ansurez, el
Comandante del Puesto, estaba convencido de que aquella
historia de fantasmas tenía un lado misterioso que sobrepa-
saba todas las previsiones, incluidas las del Cabo Monedo,
que llevaba unas semanas controlando a un extraño tipo que
iba y venía en bicicleta por la orilla de los canales mayores—
yo no puedo asegurar que el Muerto Mojado sea el mismo
Cobrador de Tributos, a no ser que vuelva a verlos y, después
de esta declaración, me fije de veras en ambos, al Muerto casi
ni soy capaz de mirarlo desde que supe que era un muerto,
y el Cobrador, cómo podría decirles, ni está húmedo ni está
Mojado, viene vestido de la mejor manera posible y es igual
de educado que de severo, quiero decir que no se anda por
las ramas. Yo lo que hice fue pagarle el dichoso Tributo de
la Contenta sin que hubiese ningún tipo de amenaza, sólo la
mención de lo que el Tributo supone para los que en Celama
nos beneficiamos del agua de los muertos del Pantano. Este
hombre me pareció, antes que otra cosa, un justiciero y,
eso sí, me dio miedo. Lo que tengo que reconocer, como
también parece que declararon doña Armila y Veda, es que

desde que pagué ya no volví a ver Muertos Mojados en el manzano de mi huerto.

El asunto había llegado al Cuartelillo con motivo de la aparición del Cobrador de Tributos, y no directamente por alguno de los tres comprometidos, sino por un avispado empleado de la Caja de Arvera, que aquellos días sustituía al Director, y que se extrañó de que los tres sacasen casi al tiempo la misma cantidad de dinero, excusándose en los tres casos de un pago tributario un tanto sospechoso.

—Mejor pagar por la Caja, doña Armila... —le había dicho a la vieja, con la mosca detrás de la oreja, después de haber dado a los otros el mismo consejo— que así el pago es más seguro y hay mayor garantía de que se ingresa donde debe...

—Quite, quite... —había comentado nerviosa doña Armila— que viniendo el Cobrador es como antes se acaba la función.

Al enigmático ciclista lo esperó el Cabo Monedo en la orilla de uno de los canales mayores, el de Furado, y lo fue siguiendo hasta una casilla de la Hemina de Valcueva, ya en los mismos Confines.

Iba el Cabo de paisano y le pisaba la rueda de la bicicleta con la suya y el ciclista cada vez que se le acercaba tocaba el timbre como cuando a uno le persigue un perro y lo toca para asustarlo.

Lo dejó llegar a la casilla, acosándolo de ese modo, y cuando el ciclista aparcó la bicicleta y se metió precipitado en la casilla, el Cabo Monedo se detuvo a una razonable distancia, sacó la petaca y lió un cigarro y así, sentado en el sillín de la bicicleta mientras aguardaba fumando, se dijo con total seguridad:

—Ahora, como hay Dios, que sale el dichoso Muerto Mojado con la misma intención nocturna de asustarme…

Estaba anocheciendo y en la Hemina de Valcueva corría un viento ralo. El Muerto salió mojado y tembloroso, acaso más del frío que de la encomienda, y el Cabo amartilló el arma reglamentaria y le dio el alto sin preguntar quién vive, ya que de la circunstancia de que el muerto era un vivo estaba más que convencido. Lo que sí le exigió es que se identificara y el Muerto Mojado quiso entrar en la casilla para hacerlo, pero Monedo no iba a dejar que un Muerto de tan baja estofa se la jugase y le precedió a la guarida, donde los enseres del farsante no pasaban de los de un timador de feria.

—El caso vamos a cerrarlo con los menores comentarios posibles… —decidió Ansurez, el Comandante del Puesto, que no podía soportar la diligencia del Cabo, a quien a la primera de cambio le buscó un traslado— porque la materia de este delito puede sensibilizar demasiado al personal de Celama. Lo único que nos faltaba es que tuviéramos que investigar los malos sueños, además de los malos pensamientos, y se nos llenara el Cuartelillo de pecados mortales. Aquí, Monedo, hay que atarse a la realidad de los hechos…

La realidad de los hechos, tal como testificaron con la discreción precisa la vieja Armila, Emerio y Veda, tenía que ver con aquel hombrecillo, que en el Cuartelillo permaneció mojado, hasta que se efectuaron todos los careos y comprobaciones y firmó la correspondiente confesión.

—Tal como les dije... —confirmó cariacontecido— me llamo Erguicio Valderaduey Ramos, y por Cobrador de Tributos me hice pasar para ir cobrando, a ser posible en la mayor cantidad de pueblos, el que he dado en llamar de la Contenta, con el que se saldan los débitos de quienes quedaron inundados, para que aquellos muertos se vean, aunque modestamente, retribuidos y contentos. La condición de Muerto Mojado es el adorno de lo que precisa el fraude, porque de lo que ustedes pueden estar seguros es que en Celama, ahora mismo, los sueños de casi todo el mundo están llenos de ahogados...

Ansurez y Monedo observaban inquietos al hombrecillo, que llevaba mucho rato tiritando.

—Ni siquiera nos deja usted el consuelo de saber que nació en alguno de esos pueblos damnificados de Burma... —dijo irritado el Comandante del Puesto, repasando la confesión.

—Los que emigran jóvenes... —musitó el hombrecillo— necesitan olvidar dónde nacieron. No soy de ningún sitio que no tenga el mismo erial que tuvo Celama.

El mismo día que Rufo Leza se licenció del Servicio Militar, su padre Baro Leza le esperaba con los otros dos hijos, Alcino y Rapo, en un bar de Olencia donde le habían citado. A Olencia llegaba Rufo en el tren, con el macuto y la cabeza pelada. Media docena de camaradas de fatigas cuarteleras, también licenciados y pelados, le despidieron en la estación haciendo la pantomima de pasar revista, alzando las respectivas botellas de coñac a la orden de presentar armas.

—¿Y esta cabeza llena de trasquilones…? —inquirió su padre molesto, después de abrazarle, mientras sus hermanos se burlaban.

—La última del Sargento Miranda, padre… —confesó Rufo, aturdido—. Esta noche nos fue encerrando uno a uno en el calabozo y, a oscuras, aprovechándose de lo que habíamos bebido, nos trasquiló.

—A un sorche no hay por qué tenerle respeto, pero un soldado ya no es un quinto ni un recluta. No se puede acabar de cumplir con la patria con esa cabeza…

—Tampoco el Sargento va a poder arrancar la moto...
—aseguró Rufo con gesto vengativo—. Esta mañana le
metimos tres kilos de azúcar en el depósito de la gaso-
lina.

Baro Leza secundó las collejas que Alcino y Rapo propi-
naban al hermano, mientras pedía al camarero que volviese
a llenar las copas.

—Bueno... —decidió— viniendo como vienes, vamos
a empezar por la peluquería. Un arreglo nos vendrá bien a
todos. Hoy os quiero guapos porque lo que vamos a celebrar
no es tu licencia sino algo mucho más importante...

Rufo bebía incitado por los hermanos, que no cejaban de
bromear con su cabeza. El coñac del viaje alargaba el espesor de la resaca y la somnolencia de un vagón medio vacío
donde acababa de estallar la cuerda de una bandurria. Los
camaradas voceaban y roncaban y el músico, más borracho
que ninguno, observaba la púa entre los dedos.

—Lo primero... —ordenó Baro, después de vaciar la
copa— nos enseñas la documentación. Queremos ver la
cartilla y el carnet que te dieron en la División Acorazada[1].
También alguna de esas fotos en que conduces un tan-
que...

Rufo puso los documentos sobre la barra. En ellos el
recluta mostraba la misma cabeza, todavía más pelada,
y unos ojos atónitos. Alcino acercó la fotografía de Rufo
asomando en el carro de combate, con la misma cabeza

---

[1] División que está constituida fundamentalmente por carros o fuerzas transportadas en vehículos blindados.

ahora disimulada por una amplia boina. Baro y Rapo en seguida se la quitaron de las manos.

—Vamos a ver lo que de veras aprendiste… —dijo Baro satisfecho, devolviéndole la fotografía a su dueño—. El carro de combate se cambia por un seis caballos y, hasta que aquí estos dos pardillos no saquen el carnet, se le encomienda al experto de la División Acorazada. El coche no tiene los mismos pedales que el carro, pero se le puede pisar mucho más…

Rufo no acababa de entender. Baro había pedido al camarero que llenara otra vez las copas y, cuando la vació, secundando el brindis del padre y los hermanos, volvió a escuchar en la amodorrada lejanía de la madrugada el estallido de la cuerda de la bandurria.

—Lo que celebramos… —dijo su padre, que sacaba del bolsillo interior de la chaqueta una cartera repleta de billetes nuevecitos— es que se acabó la miseria.

Era la hora de comer pero la familia todavía tuvo tiempo de arreglarse al completo en una peluquería del centro de Olencia, donde Baro exigió el mayor gasto posible de colonia y el peluquero se hizo cruces ante la cabeza de Rufo, jurando que se trataba de uno de esos casos en que el peine y las tijeras sienten más miedo que respeto.

En el Restaurante Coyanza comieron el padre y los hijos uno de esos menús descabellados que luego es imposible recordar, entre otras cosas porque el capricho es la guía menos fiable de la gula, sobre todo cuando no se tiene mucha idea de lo que se pide. El vino regó la comida con igual prodigalidad que el agua venía regando el secano de Celama y los cafés y las copas y los puros pusieron el banquete en ese límite en que la satisfacción desvaría entre el sopor y el desaliento.

—Éste es el rancho que quiero para mis hijos… —comentó satisfecho Baro Leza pidiendo la cuenta—. De escabechados y mendrugos y de híbridos y cañorroyos ya estamos listos. La miseria se acabó de igual manera que se acabó Dios en mi conciencia el día que vuestra madre se ahogó en el Pozo. Estos billetes… —indicó, mostrándolos esparcidos— van a servirnos para quemar todo lo que nos dé la gana…

Rufo no terminaba de entender lo que sucedía. El ánimo agitado de su padre era el mismo que el de sus hermanos, y apreciaba aquella felicidad disparatada, sumándose a ella con igual inclinación y parecida inconsciencia, calculando que en la cartera de su padre había un dinero llovido del cielo como jamás hubiera podido soñar, un dinero que ni siquiera físicamente podría imaginar, ya que la idea que Rufo tenía del dinero era la de un bien tan escaso que ni materialmente llegaba a apreciarse, se hablaba de él pero no se le veía.

—Ahí lo tienes… —dijo poco después Baro Leza, con la colilla del puro colgada de los labios y las manos en los bolsillos del pantalón, indicando el vehículo que estaba aparcado en una bocacalle de la Plaza del Ayuntamiento de Olencia—. Un seis caballos, de tercera o cuarta mano, que eso es lo que menos importa, pero rectificado y con las ruedas nuevas. Si algo bueno aprendiste en la División Acorazada, éste es el momento de demostrarlo…

Rufo se puso al volante y Alcino y Rapo se sentaron atrás, escoltando a su padre. De nuevo repetían las collejas y las bromas.

—Sales de Olencia… —sugirió Baro— pero no en dirección de Celama, porque hasta que no lo quememos todo, no hay que volver. Primero un buen paseo por la carretera de Valma para comprobar que funcionan las bielas y luego ya diremos…

Rufo había escupido la colilla del puro. El coche arrancó a la primera y su hermano Rapo tuvo que advertirle que aquello no era un carro de combate. El guardabarros se enganchó en el que estaba aparcado delante y, en la maniobra, se lo dobló.

—Ni lo soñaba… —musitó Rufo, acomodándose en el asiento, sujetando con dificultad los nervios que le hacían temblar los dedos de las manos—. Un coche para pisarle lo que a uno le dé la gana…

—Por la recta queremos verte, recluta… —le dijo Alcino—. Lo que tu padre anduvo en mula se lo tienes que hacer olvidar esta tarde. Se acabó la miseria y, además, no hay Dios…

Rufo tardó unos minutos en hacerse con el coche pero, cuando hubo probado las marchas y acomodado el embrague, sintió que llevaba toda la vida con aquel vehículo en sus manos.

La brisa aliviaba el sopor y la emoción despejaba la fiebre de la resaca, que hurgaba en su memoria como si las horas del tren no se escindieran de las últimas del cuartel, que eran las más oscuras de todas.

Tomaron la carretera de Valma y, por la recta, el coche dio todo lo que podía dar de sí. Luego, con mayor sosiego, fueron quemando kilómetros, mientras los hijos gritaban y cantaban enardecidos y el padre dormitaba feliz entre ellos.

—Que lo que nunca valió nada… —dijo Baro Leza, alzando los ojos cuando volvían por la misma recta— valga ahora lo que vale, es la mayor contradicción del mundo. Las hectáreas del secano se multiplican con el regadío y yo no me resigno a tener lo que nunca tuve, porque la costumbre de la pobreza lima cualquier ambición. Y a vuestra madre, por mucho que cambie la suerte, no la vamos a sacar viva del Pozo…

Rufo había oído aquellas palabras a su espalda como el rumor de una queja o una plegaria y escuchaba la voz de su hermano Alcino que llamaba al orden al padre.

—No se nos ponga llorón… —le recriminaba— porque si decidió que la corriéramos, sobra el llanto. La miseria se acabó y allá Celama con su suerte.

—Písale otra vez, Rufo… —suplicó Rapo— que a cien por hora si atropellamos un gato podemos mirar lo que se cuece en el más allá…

A media tarde estaban en el Casino de Olencia y, cuando ya llevaban descorchadas media docena de botellas de champán, el padre dijo que era el mejor momento para echar una cana al aire.

—La vuestra os la administráis vosotros porque la mía a la fuerza tiene que ser distinta… —corroboró Baro Leza después de sacar la cartera y repartir los billetes en cuatro montones—. Aquí al lado hay una timba y ésa es la cana que más me interesa, porque por una vez en la vida quiero jugar sin reserva, hasta que dé de sí lo que hay. Llevaos el coche y ese dinero para cada uno. Con que me recojáis a la hora de cenar me vale…

Los tres hermanos obedecieron al padre y, cuando bajaban más inseguros de lo debido las escaleras del Casino, comenzaron a discutir lo que iban a hacer. Rufo se amoldaba con más facilidad a lo que cualquiera de los otros propusiera, pero entre Rapo y Alcino no era fácil el acuerdo.

—Si hasta la cena hay cinco horas… —decidió Rufo, mientras caminaban hacia el coche, comenzando a aburrirse de la disputa de sus hermanos— tenemos tiempo de sobra para ir al Lexinton de Villalumara.

—No aguantamos, Rufo… —opinó Alcino.

—Yo prefiero que me la meneen en la Pícara… —dijo Rapo.

—El que quiera seguirme que me siga… —zanjó Rufo—. Lo que ordena el Capitán jamás lo discute la tropa.

Los reclutas acababan de ponerse a las órdenes del Capitán y las mínimas diferencias de la orden las saldaron, antes de subir al coche, en el Bar Beldorado, donde, después de contabilizar la disparatada generosidad que el padre había tenido con cada uno, decidieron comenzar a beber whisky para no seguir haciendo más mezclas perniciosas y, con ánimo de aliviar el largo viaje hasta el Lexinton de Villalumara, compraron una botella.

—Todo lo que bajes de cien… —dijo Rapo a Rufo, cuando el coche tomó la carretera comarcal para hacer los cinco kilómetros que les llevarían a la general, en dirección a

Dolta y Villalumara— es tiempo que perdemos, y en un día como éste el tiempo perdido no se descuenta, se traga.

—Si la miseria se acabó… —convino Rufo apretando el acelerador a fondo— es que el mundo no era el que nos dijeron. Si ves un gato, avisa…

Por lo que se sabe de aquella tarde, y de la noche que enlazaría el regreso en la madrugada a Celama, no hubo mucho sosiego en los hijos de Baro Leza, quiero decir que los kilómetros de ida y vuelta a Villalumara los sacudieron al límite de las posibilidades del seis caballos, con dos momentos apurados, uno en un peligroso adelantamiento y otro precisamente en el intento de atropellar a un gato, que burló al vehículo en el último instante, sin que Rufo lograra acelerar y frenar con suficiente eficacia, de modo que el coche derrapó hasta el límite mismo del arcén y la cuneta.

—Los chicos venir vinieron cocidos… —dijo doña Lima, la dueña del Lexinton— y, para qué vamos a negarlo, se fueron peor, con no menos de cuatro lumumbas por barba. Las chicas que les atendieron, nada especial tuvieron que objetar. Eligieron, eso sí, las más caras: Cristal, Celosía y Marimba. Lo único que comentó la mulata es que al pelado, al que se había licenciado de la mili, se le disparó la pistola antes de desenfundar, pero eso está al orden del día tanto en reclutas como en veteranos, servir a la patria no garantiza la puntería.

Era ya de noche cuando los tres hermanos volvieron al tramo de la carretera comarcal que les llevaría a Olencia y fue en ese momento, al alcanzar la ribera del afluente del Sela, cuando a Rapo se le ocurrió que, lo mejor que podían hacer para despejarse, era darse un baño en el río. El tiempo no acompañaba demasiado y el agua estaría especialmente fría en la noche otoñal, pero la idea de despejarse hizo mella en los tres y Rufo sacó el coche de la carretera y lo metió entre los chopos.

Los tres se desnudaron y corrieron hacia el agua con la misma determinación, dando voces y gastándose bromas sobre la penosa apariencia de sus respectivas herramientas. Sin encomendarse a Dios ni al diablo se tiraron al agua, y el primer grito de auxilio lo escucharon dos paisanos que venían de la cercana Venta de Valma.

—Uno salió por su cuenta… —dijeron, sin acabar de entender aquella absurda locura, por mucho que hubieran bebido— y a los otros dos los cogimos de milagro, porque el recluta pudo agarrarse a una palera antes de que la corriente lo llevara, y el hermano no se soltaba de su pie. Celama, por mucho que la rieguen, siempre tendrá gente de secano y el que no sabe nadar lo mejor que puede hacer es ver pasar el agua desde la orilla. Si hay un pozo traidor en el río, es ése.

Baro Leza esperaba a los hijos, ya con cierta preocupación, en un bar al lado del Casino.

—¿Echasteis la cana al aire o sólo fuisteis a remojaros…? —inquirió al verles con cara de susto y restos de mojadura—. Cuando yo era joven era lo mismo de rápido que de atolondrado y una cana duraba poco más que un suspiro.

—Es que, además, nos bañamos en el río… —explicó Alcino—. Queríamos despejarnos y casi lo logramos.

—Tomar una copa, si tenéis con qué pagarla y, de paso, pagar las que yo llevo tomadas. Me parece que costó menos trabajo que me desplumaran que a vosotros poneros contentos. Si os tirasteis al río es señal de que estabais satisfechos...

Los hijos contabilizaron el dinero que llevaban encima y Baro Leza volvió a recogerlo en su billetera.

—Hay más que suficiente para cenar y para que la noche no se quede más corta de lo debido. Veo que el dinero os cunde más que a vuestro padre y eso dice mucho a vuestro favor. La miseria se acabó pero debo reconocer que la suerte estaba antes terminada: ni una buena mano en toda la puta tarde...

Cenaron en el Restaurante Colominas y fueron cerrando, uno a uno, todos los bares de Olencia, hasta recalar, a última hora, en la Cantina de la estación, donde tuvieron el único incidente, ya que la noche, por lo que se sabe, discurrió todo lo apacible que era de prever, contando con que Baro Leza sabía controlar a sus hijos y que el susto del río no les había dejado en la mejor forma.

—Aquí el Quinto se enzarzó con uno de Regulares... —dijo el dueño de la Cantina— y, en el tiempo en que ese hombre y los otros hijos fueron a los urinarios, armaron una trifulca de espanto. Por otra parte, lo único que me dio cierto miedo fue verlos marchar, en las condiciones que estaban, en el coche que habían aparcado donde Consigna, un seis caballos con las aletas abolladas y el guardabarros torcido, pero sabiendo cómo son los de Celama, y después de la que el mozo armó, preferí callarme la boca y cerrar. El de Regulares fue a dormirla al andén...

Los restos de la noche se los llevaba el viento otoñal que batía Celama y quedaban desperdigados como pedazos de sueño y resaca que la madrugada no lograría recomponer.

El coche avanzaba veloz y silencioso y Rufo sentía la misma pesadez en los párpados que hacía cabecear, unos contra otros, al padre y los dos hermanos en el asiento trasero. En algún momento los observaba en el espejo retrovisor y contenía el sueño que casi culminaba su asedio, aflojando el acelerador y sintiendo las manos completamente rígidas sobre el volante.

Hacía meses que no escuchaba el rumor del agua en las acequias y casi no recordaba los campos de remolachas y maíz. Aquella Llanura que se iba despejando en el amanecer era como otro territorio, donde la mano antigua de la madrugada había perdido el fulgor de la oxidación y el brillo muerto de la lepra. El horizonte ya no estaba vacío. Los chopos que delimitaban la carretera amanecieron también en la distancia de Sormigo, como extraños centinelas en un territorio que jamás contó con ninguna vigilancia. Rufo los fue apreciando, como si vinieran por él y, poco a poco, pisó a fondo el acelerador, ya dispuesto a entregarse a ellos y al sueño.

—Písale, Rufo, písale... —creyó escuchar la orden de su padre, al tiempo que la cuerda de la bandurria estallaba con la música rota otra vez en su memoria— que de veras se acabó la miseria...

… también estoy quieto, será cosa de familia, o que tantas
horas de estarlo hagan que uno se acomode a mirar antes
que a moverse, porque las ovejas son los animales más inmó-
viles de la creación cuando encuentran el entretenimiento
del pasto, ni se tienen en cuenta unas a otras porque todas
son la misma y el rebaño como la idea que cada una tenga
de lo que es, todas iguales y con el mismo miedo de que
alguna se separe, aunque de una menos ni se enteran, y
esto es lo que hay que hacer, mirar, mirarlas, estar un poco
como ellas, en parecida disposición, la quietud del pastor
que hace de mi vida ese tiempo tan largo de los que no se
mueven, cuando el perro ya tiene esta maña que tiene el
gozque, el olfato, el instinto, la intención, y a él le dejo la
mayor responsabilidad porque va a cumplir como si lo hiciera
yo mismo y, al fin, también yo estoy aquí para moverme al
menor espanto o cuando una de ésas, la más tonta, se vaya
sin sentido, aunque el gozque no la va a dejar, por mucho
que ande entretenido en la otra banda, es la ciencia de los
perros que tienen la maña por entrenamiento y naturaleza,
aquel cimarrón de pelo suelto, el baldado bermejo, la negra

con la pinta en la frente, todos cruzados, sin raza pero con
la codicia que da la listura, lo que uno siente que se echen a
perder o se accidenten en el alambre, o lo que hizo el cetrino
cuando la boba más boba del rebaño, en Lises, salió del
camino porque iba la última y el cetrino no la vio, cosa que
tampoco yo hice y, al echárselo en cara, vi que la que tenía
era la que pone el que se siente desairado porque no puede
perdonar el desagradecimiento, y lejos y enojado aguardó a
que le pidiera disculpas, cosa que no hice, de lo que siempre
me arrepentí, y ahora mismo continúo arrepintiéndome, la
tarde de un dieciocho de marzo, uno y otro como las parejas
que no se perdonan, ese perro de mi vida, porque alguno
de parecidas condiciones llegué a tener, este mismo gozque
tan bien enseñado, pero jamás con la intención y el apremio
del cetrino, detrás de mí y del rebaño, cuando veníamos,
enojados y pesarosos, al menos yo con más pesar que enojo
en el regreso, y fue verlo correr de improviso, para siempre
perderse sin que ya fuera posible llamarlo, esa oveja boba, la
más boba que hay en todos los rebaños, había que haberla
matado como culpable de la huida del cetrino, lo que yo
pude querer a aquel animal no es para contarlo, las veces que
de él me acuerdo, seguro que viejo y achacoso, convertido
con los años en alguno de esos perros proscritos que a nadie
se arriman porque ya recelaron para siempre de lo que da de
sí el agradecimiento humano…

… lo que cada uno tiene, lo que cada uno quiere, lo que
los años te dan y te quitan, de pobres todos éramos más o

menos lo mismo, yo no soy nada y menos que yo nadie, pero
la razón y el pensamiento tienen este valor que quiero darles,
al menos en el modo y manera con que puedo entender
el mundo, si convenimos en que entender el mundo es lo
menos que puede hacerse, al menos yo lo intenté, igual que
lo sigo intentando, bien es verdad que las horas que paso solo
son las mayores de mi existencia, si pudiera contabilizarlas
serían un veinte o un treinta por ciento, más que las que
estuve con la gente, dejando aparte las del sueño, que ésas
son las más solitarias que a todos los seres humanos nos
competen, y eso que en los sueños son muchas las ocasiones
en que se encuentra uno peor acompañado que en la vida
misma, y de eso casi ahora ni quiero acordarme, la misma
noche que mi pobre tío se colgó en la viga del tenado, antes
de que lo descubriera la vecina, que fue la primera que
oyó balar las ovejas, soñaba yo que tenía el cadáver en la
cama, los pies fríos posados en mi vientre y la humedad
del cadáver que no debía estar colgado en esa viga, donde
luego amaneció, sino caído en la lluvia, desde donde pudo
arrastrarse a la cama, porque los muertos se arrastran en el
sueño como vivos torpes, de la misma manera que lo hizo,
al menos así lo cuentan, el de aquel pobre chico de Orión al
que su novia engañaba con un hermano y se murió de pena
al descubrirlo, porque que los hermanos se quieran como
novios es la peor desgracia del universo, y ese pobre chico
vio a los hermanos no ya como novios, sino como marido
y mujer, y muerto del susto y el sufrimiento volvió para que
en la cama, donde pecaban, quedasen separados, el muerto
en medio de ellos, también mojado de la lluvia y el barro

de la fosa, no sé para qué demonios me acuerdo de estas cosas, teniendo como tengo tanta prevención a los sueños, aquella mañana que me desperté con la cabeza como un bombo, todavía tembloroso por lo que había soñado, y no tardaron en venir a avisar que mi tío estaba muerto, colgado en la viga del tenado, llevaría yo diez años trabajando por mi cuenta, después de haber reñido y haberle tenido que aguantar todo lo que le aguanté, colgado entre las ovejas que balaban y la vecina que lo descubrió, menudo susto, tuvo la impresión de que eran las mismas ovejas las que lo habían descalzado, de muertos y sueños no me gusta pensar, el conocimiento mejor es el que se adquiere intentando comprender el mundo, cosa más difícil en Celama, lo que pudo haber cambiado esta tierra, Dios mío, con la pobreza y el desorden con que yo la conocí y la riqueza que ahora tiene, quién la viera y quién la ve…

… y de la media docena de los chopos ya sólo hay tres, la sombra de la vereda tampoco me gusta para dormitar en la siesta, cuando el gozque se vale y se sobra con las dichosas ovejas, que también dormitan en esta hora del sol alto, las muy bobas buscando el arrimo de ellas mismas, la mejor manera de darse calor, más amodorradas que asustadas, el mejor momento del día para que un camión se saliera de la carretera y viniera directo para llevárselas a todas por delante sin que siquiera rechistasen, pero es la señal de esos troncos desmochados lo que también me hace recelar, no ya por la muerte de los que en ellos se estrellaron, cinco accidentes en los dos últimos años, tres de ellos mortales, todos las mismas madrugadas, las de los viernes y los sábados, y los coches con los mismos pasajeros, la juventud de Celama que viene y va con las otras juventudes de la Ribera y la Vega, esos árboles no eran de la antigüedad de esta tierra, que jamás los tuvo, eran de los que ahora se ven ondeando por la Llanura y da gloria verlos, a la vereda no me apetece y eso que pica el sol y el sombrero es casi peor que la gorra, voy a beber un poco de agua de la botella y ni del vino y el tabaco me acuerdo, el vino que, además de refrescar, anima, y el tabaco que es el mejor entretenimiento que inventó el ser humano, especialmente para quienes tenemos un trabajo solitario, pero hay que velar por la salud, no se sabe bien para qué, lo que tiene usted es del corazón, supongo que herencia de lo que tendría mi madre, no es que los haya visto chocar, ni siquiera los oí, porque duermo lejos, pero en alguna de esas alquerías más cercanas, me han dicho que los fines de semana hacen apuestas, uno en el chopo de la derecha o en el que queda libre a la izquierda, entre las cinco y las seis o entre las seis y las siete, muerto arriba, muerto abajo, del Dispater de Santa Ula de Celama salen la mayoría de los que vuelven con ese peligro o, vaya usted a saber, de la misma Olencia, Dolta y más lejos, lo que antes se medía por hectáreas son ahora kilómetros que no respetan la distancia, porque el que más y el que menos, anda motorizado, las mulas iban al paso de lo que se llama la noche de los tiempos, los tractores da gusto verlos, no hay paciencia ni trabajo para esos animales estériles que hubo que sacrificar poco a poco, bichos tristes que en la mirada todavía tenían más pena que las ovejas, que ya es decir, y es el conocimiento que las cosas requieren el que me interesa, porque el mundo posiblemente no habrá quien lo entienda, qué hostias voy a entender yo, pero se intenta aunque sólo sea para pasar el rato, esa boba ni amodorrada controla el sentido, el gozque la muerde, como hay Dios que la muerde...

... no será nada, no me diga usted que con la vida que lleva un pastor se puede acabar teniendo un infarto, no la liemos, el que no sabe es el que menos se entera, los tontos del mundo creen conocer lo que los listos tardaron tanto, y el peor caso es el del que te dice eso, porque vive con la idea de lo que se imagina, no con la certeza del conocimiento, como si la vida del pastor fuera la vida de esas poesías viejas o exclusivamente la de la Santa Biblia, donde los pastores ven a Dios como ahora mismo yo veo bajar el agua por la acequia, llevando las briznas de lo que el viento le quita a la cosechadora más cercana, no hay casi ningún conocimiento de causa entre los hombres de este mundo, aquí cada uno está a lo suyo, y lo suyo es lo que cada cual afana de lo poco o mucho que logra, más o menos con el mismo sentido que el rebaño y casi siempre sin un gozque listo que vele porque nada malo suceda o un pastor que ayude a que vayamos y volvamos donde debemos, si es que alguien pudiera saber dónde deben volver los seres humanos, porque de dónde ir me parece que todos tenemos conciencia, ya que lo bueno le gusta hasta a los más tontos, no me parece que la vida que me tocó, y me toca, sea la de menor compromiso, de

los sufrimientos de ella podían llenarse algunos libros y, con
ellos, aburrir a las piedras, pero ésa es una de las ideas que
tengo: la mayoría de las vidas son aburridas y se aguantan
para vivirlas, para contárselas a otros no se pueden soportar,
las mejores hay que inventarlas, no queda más remedio, y
es que si ahora, aquí tumbado al pie de la acequia, que el
rumor del agua es de lo más agradecido, hiciera un esfuerzo
por inventar la mía, a lo más que iba a llegar es a recordar
otra vez aquella mañana de enero en que vine a Celama, el
nueve del cuarenta y siete, los sabañones que me mataban
vivo con el picor en los dedos, en los codos, en las orejas,
un invento cojonudo para que luego, con todo lo que pasa
como tantas otras cosas de otras vidas de esta tierra, tenga
uno el corazón bajo de forma, y le digan que no será nada
y que en lo último que se podría pensar es en un infarto
llevando la vida que llevan los pastores, la que llevan también los que se matan vivos por cualquier sitio, ahora que
la vida se parece tanto esté uno donde esté, la acequia con
el agua que corre y el rumor que tiene, esta respiración
tantas veces cansada, eso sí, cuando me dan los ahogos, o
de noche quieto en la cama, pensando lo que no se debe,
lo que no se quiere…

… que está olvidado del mundo, del abandono del mundo,
de la tierra sagrada y de la tierra profana, las cosas por las
que se pierde el interés se dejan y dejarlas no es siempre por
haberse ido, también se abandona lo que ya no interesa,
lo que ya no se quiere, sólo con dejarlo, sin irse siquiera,

ese abandono que es la desgana que tanto tenemos los que
perdimos la ilusión, o porque la perdimos o porque nos
despojaron de ella, a base de que la vida perdiera el sentido,
yo qué sé, porque tiene que haber otras vidas mejores o
porque, al final, todas son la misma se vaya donde se vaya,
se haga lo que se haga, se trabaje en lo que se trabaje, y no
quiero hacerme un lío, si es de un infarto allá me las den
todas juntas, no es el primer pastor que cae en el campo,
en algún caso sin saberse siquiera de lo que cayó, no por un
accidente de tormenta eléctrica, dieciséis ovejas muertas,
achicharradas las dieciséis bien juntitas, como a ellas les
gusta, lo que más me llama la atención es lo que viene por
la acequia, las cosas que se tiran, lo que se cae, aquel bicho
raro que vi un día, o soñé que lo miraba, no la clásica cule-
bra de agua, algo como un pez deforme, la cabeza chata, la
cola, las escamas más verdes que la piel de los lagartos, eso
que brilla allí prendido, Dios me libre de tocarlo, la huella
desleída de una mancha sangrienta, la huella de la vena,
si las venas, como decían los Ingenieros, son los canales y
los regueros que forman el sistema de riego, la nueva vida
de Celama, tan preciada cuando llegó, ahora lo mismo de
incierta que tantas otras vidas, con el agravante de que ésta
no parece que cuente para el futuro, porque parece que la
tierra del futuro será de adorno, la vida que ella proporciona
no va a quererla ni Dios, ya es en buena medida una vida
muerta, del pasado, las venas de los que están tirados por ahí,
alguno habrá ahora mismo en las hectáreas, a lo mejor éste
que dejó la jeringuilla después de llenarla con el agua de la
acequia, la huella de los muertos de Burma, los muertos más

penosos, ahora que me da sueño es lo último que quisiera recordar, si el gozque se posó es que las ovejas no se mueven y también quiere reposar, este modo de estar quieto es el que más me gusta y menos miedo me da, la Llanura está quieta, el mediodía la tiene, qué podrá sentirse en la sangre, qué hará esa oveja, la más boba de todas si con cuatro pasos se extravía, un nueve de enero, estaba más quieta mi madre en la cama de Valma cuando le dije adiós que en la cama del Asilo de Olencia cuando me la enseñaron muerta, no se aprende a ser huérfano, el rumor del agua me haría dormir si no volviera a pasar uno de esos camiones de la Ruta que jamás se detuvieron en Celama…

Los lugares del relato

ANTERNA. Con Santa Ula, capital de la Comarca, la Villa más activa e industriosa de Celama, donde acabaron teniendo sede las más importantes entidades bancarias.

ARGAÑAL, El. Villa de Celama donde vivió Venancio Rivas, cuya muerte, fuera de la cama tras una agonía lenta y contradictoria de más de veintiséis días, fue considerada por sus hijas como la mayor vergüenza que pudo pasarle a la familia. El año que se logre el fruto el páramo será el paraíso, decía el viejo Rivas, y los bienaventurados bajarán a mirarlo y nos lo dirán luego a los que estemos en las calderas de Pedro Botero, que seguiremos sin creerles.

ARVERA. Pueblo de Celama en cuyo casino se celebró el banquete de la boda de Belsita y Pruno, tras la accidentada ceremonia que tuvo lugar en la Iglesia de San Nono. El banquete no fue todo lo bueno que hubiera sido de haberse celebrado a su hora, dijo uno de los invitados, pero baile más animado no se recuerda. A Belsita y a

Pruno se les conoció durante mucho tiempo como los Novios de Celama.

BROZA, Oasis de. Donde un Rodielo lisió a un Baralo, cazándole con un cepo y destrozándole el empeine de la pierna izquierda. Una de las muchas escaramuzas de las llamadas Dinastías del Erial.

BURMA, Pantano de. La Obra Hidráulica que convertiría en regadío el secano irredento de la Llanura, situada en un hermoso paraje de la Montaña, donde se construyó la presa sobre el río del mismo nombre. Llegó el agua con el anuncio de las campanas de todos los campanarios de Celama, y ya nadie se acordó de las espadañas en la superficie del Pantano, de aquella huella inocua que se alzaba en lo alto de las torres sumergidas.

CELAMA. Territorio situado en el centro meridional de la Provincia, entre los Valles de los ríos Urgo y Sela. La «Parami Aeqvore» (Llanura del Páramo) de la lápida en que Tulio Máximo dedicó a la diosa Diana la cornamenta de los ciervos cazados en ella, allá por los años ciento sesenta después de Cristo.

CONFINES, Los. De la frontera de Celama nunca hubo certeza porque los límites variaban según quién los midiese. Todo el mundo sabía que Celama era la Llanura entre el Urgo y el Sela, pero las estribaciones de la misma confluían a uno y otro lado de distinto modo. Los Confines que a Rapano le indicó su tío, la mañana de su llegada, un nueve de enero de mil novecientos cuarenta y siete, diciéndole que empezaban donde cayese el sombrero que lanzó, variaron aquella misma mañana, porque cuando corrió tras el sombrero el viento comenzó a llevarlo por el erial y le costó mucho alcanzarlo.

DALGA. Pueblo situado hacia el centro de Celama, a donde llegó Rapano un nueve de enero de mil novecientos cuarenta y siete, tras haber perdido el rumbo y con el temor de las pedradas de su tío, que le rozaban las orejas.

DOLTA. En la carretera general, en dirección a Villalumara, donde viajan los hijos de Baro Leza en el seis caballos, comentando que si la miseria se acabó es que el mundo no era el que nos dijeron.

FURADO, Canal de. Uno de los canales principales de la red que con sus derivados, acequias, desagües y caminos, estructuraron las zonas de regadío, cuando las aguas del Pantano comenzaron a desembalsarse.

GARDAS, Las. En el límite de Los Confines, donde Ismael Cuende, médico de Los Oscos, la noche del siete de febrero, no logró sujetar el vértigo de la inmovilidad y cayó de la mula, en el erial terroso que salpicaba la nieve con esa vejez del níquel que adquiere la nieve entre los cantos oxidados.

Hemina. Medida agraria usada en Celama. Para la tierra de secano tiene ciento diez pies de lado y equivale a novecientas treinta y nueve centiáreas y cuarenta y un decímetros cuadrados. En las tierras de regadío, noventa pies de lado y equivale a seiscientas veintiocho centiáreas y ochenta y ocho decímetros cuadrados. Viene del griego Hemi, que significa mitad, y entre los romanos era una medida que servía tanto para las cosas líquidas como para el grano de los cereales, siendo la mitad del sextario.

Hontasul. Pueblo del noroeste de Celama, en alguna de cuyas tabernas bebía Boris Olenko, el hijo que vino de parte del hijo de la vieja Ercina.

Hoques, Camino de. Por donde iba Elirio una mañana helada de febrero a verse con Vina: cinco kilómetros sin destino para cualquiera que tuviese dejadas de la mano de Dios las hectáreas en el invierno.

Lepro, Hemina de. Pago en las que un día se llamaron tierras sobrantes, donde se estableció, en los tiempos antiguos, el primero de los Rodielos. No lejos se establecieron los Baralos, otra estirpe que más que pionera parecía trashumante pero que, en el ir y venir de su trashumancia, fue cogiendo apego a lo que llamamos la vida sedentaria. Fueron conocidas como las Dinastías del Erial y a ninguna de ellas se la tuvo aprecio en Celama.

Lises. Lugar donde el perro y el pastor se enojaron, lo que motivó la huida del animal. Las veces que de él me acuerdo, diría el amo atribulado, seguro que viejo y achacoso, convertido con los años en alguno de esos perros proscritos que a nadie se arriman porque ya recelaron para siempre de lo que da de sí el agradecimiento humano.

Loza, camino de. Todavía existe en el camino de Loza, a tres kilómetros de la carretera de Hontasul a Sormigo, una lápida que alguien labró con menos destreza de la necesaria, en la que puede leerse con demasiada dificultad un nombre extraño y una fecha desvaída. Es la tumba de Boris Olenko, el ucraniano que siempre reconoció, en los años que vivió en la Llanura, el aroma originario de los desiertos que cultivaban la intemperie con parecidos vientos y un gemelo cansancio en los horizontes, apenas diferenciado por la sombra de los abedules.

Lozo, El. Tierra de viñas que plantó el padre del viejo Rivas. Así se pierde lo que no se cuida, dijo el viejo la mañana de su muerte cuando Benigno le llevaba en el coche de punto, tras ordenarle que finalmente no llegara a la tierra, porque no quería mirar lo que su padre aborrecería.

Llanares, Los. Aldea en el noroeste de Celama, cercana a Ordalía, en la dirección de Los Confines.

Llanura, la. Nombre por el que también se conoce Celama. Suele decirse que la Llanura no tiene leyenda, nada que enaltezca su memoria con la imaginación de quienes la habitaron, algo que pudiera, en algún sentido, modificar el espejo de la cruda realidad.

Midas, Hemina de. En los pagos de Dalga, donde Roco y sus dos hijas, Aceba y Mara, se refugiaron tras vender lo que les quedaba. Jamás conocí a nadie que se llamara Midas, dijo don Rabanal, uno de los despiadados acreedores de Roco, y le contestó Bugido, otro de ellos: es el nombre de quien convierte en oro todo lo que toca.

Morgal, el. Pagos del cementerio del Argañal, fin del viaje que el viejo Rivas hace en el coche de punto de Benigno.

Olencia. Capital comarcal de la Vega. Villa almenada en la ribera del Sela, centro de comunicación ferroviaria.

Omares. Pueblo cercano al Argañal, de donde vino Benigno con su coche de punto. Ese Ford, le dijo el viejo Rivas, es el mismo en que tu padre llevó a una novia y a un novio al tren de Olencia hace casi tantos años como tú tienes.

Ordalia. Aldea del noroeste, en la dirección de Los Confines.

ORION. De donde era aquel pobre chico al que la novia le engañaba con un hermano y se murió de pena al descubrirlo, porque que los hermanos se quieran como novios es la mayor desgracia del universo.

OSCOS, LOS. Villa hacia el noroeste, donde ejerció de médico Ismael Cuende, sesentón bonancible y solitario, fumador empedernido, bebedor inmoderado pero discreto, dueño de una mula llamada Mensa.

PIEDRA DEL RAYO. Una de esas piedras misteriosas que se conserva en la Linde de Serigo. Probablemente relacionada con la tradición romana de las «piedras manales», usadas para llamar la lluvia o evitar el rayo de la tormenta, ya que en ellas se creía que estaban reencarnados los benefactores dioses Manes o los espíritus de los difuntos.

PIEDRA ESCRITA. Donde en la madrugada de un doce de noviembre, con la planicie helada y la atmósfera corrompida por el frío, se detuvo un hombre, sacó un papel arrugado y, después de consultarlo como si se tratara de un plano, cruzó hacia las hectáreas del Podio, en línea recta a la casa de la vieja Ercina, que era la primera en las estribaciones del pueblo. No hay más piedras escritas en Celama y se la respeta como un túmulo funerario.

PODIO. En la ruta del noroeste de Celama, donde Ismael Cuende, médico de Los Oscos, tuvo un siete de febrero la sensación de que el vacío de la noche acarreaba una misma mezcla de espacio y tiempo, tal vez porque en la noche el tiempo y el espacio no existían, y las hectáreas de Podio acababa de cruzarlas montando su mula hacía diez minutos o un instante.

RODAL, el. Pueblo de Celama, donde se aparecieron los Muertos Mojados y vino el Cobrador de Tributos a saldar los débitos de quienes quedaron inundados por el Pantano.

ROMAYO, Noria de. El lugar de Celama que más le gustaba al viejo Rivas, porque allí había plantado de chaval un cerezo.

RUTA, la. Línea de transporte, servida por camiones, que siempre atravesó la franja de la Llanura sin que jamás uno de ellos se detuviese.

SELA. El río que delimita Celama en toda su longitud Este y que recibe las aguas del Urgo.

SERIGO, Linde de. El lugar donde está la Piedra del Rayo que al viejo Rivas le hubiera gustado ver el día que se sintió morir.

SORMIGO. Pueblo del noroeste de Celama, donde el Alemán hizo la histórica demostración de su máquina para abrir Pozos. Todavía pueden verse restos de la misma, como una enseña malograda de lo que consigue la ingeniería germana cuando lleva a efecto lo que se propone.

Trina, Santa. Pagos del cementerio de Hontasul.

Ula de Celama, Santa. Capital Comarcal de la Llanura, situada casi en el centro geográfico de la misma.

Urgo. El río que delimita Celama en toda su longitud Oeste y que desemboca en el Sela.

Valcueva, Hemina de. Donde el Cabo Monedo detuvo a Erguicio Valderaduey Ramos, el Cobrador de Tributos, que acabaría confesando que no era de ningún sitio que no tuviese el mismo erial que tuvo Celama.

Valma, Caserío de. En la ribera del afluente menor del Sela, donde vivió la familia de Rapano. Su madre, ya en el Asilo de Olencia, dice que sólo se acuerda de Valma, del Caserío, de la perra Quinina, de un pendiente que perdió entresacando remolacha y del tordo amaestrado que siempre andaba saltando por las habitaciones.

Vega, la. Comarca de las riberas del río Sela, cercana a Celama en la misma delimitación Este del río. Haber visto los sembrados de la Vega y tener que mirar el pedregal, las hectáreas muertas, daña los ojos, dirá Rapano recordando el contraste de la Vega y la Llanura.

Villalumara. Población donde está el Lexinton, lugar elegido por los hijos de Baro Leza para echar una cana al aire el día que su padre decidió que se había acabado la miseria.

MATERIALES PARA LA CLASE

Glosario

Acre. De olor o sabor picante y áspero.

Acritud. Aspereza en el carácter.

Ajado. Deteriorado, deslucido.

Almena. Cada uno de los pequeños pilares de piedra, de sección cuadrangular, que coronan los muros de las antiguas fortalezas.

Alquería. Casa de labranza alejada de una población.

Altamisa. Artemisa, planta aromática cuyas hojas tienen propiedades medicinales.

Argañudo. De argaña (conjunto de filamentos de la espiga; hierba mala).

Arroba. Unidad de peso equivalente a 11,502 kg.

Atildado. Elegante, muy compuesto.

Balancín. Madero al que se enganchan los tirantes de las caballerías.

Barbecho. Tierra del campo o de labor que no se siembra durante uno o más años.

Biela. En una máquina, barra de un material resistente que une dos piezas móviles para transformar el movimiento de vaivén en uno de rotación, o viceversa.

Boato. Ostentación en el porte exterior.

Boquear. Abrir la boca ahogándose; estar expirando.

Cabestrillos. Banda que cuelga del cuello para sostener e inmovilizar la mano o el brazo lastimados.

Cabeza de chorlito. Coloquialmente se refiere a una persona ligera y de poco juicio.

Canon. Regla o precepto.

Carcamal. Suele emplearse con valor despectivo para calificar a alguien como persona anticuada, vieja y achacosa.

Cariacontecido. Que muestra en el rostro pena, turbación o sobresalto.

Carúnculas. En algunas aves, especie de carnosidad de color rojo vivo que poseen en la cabeza.

Cejar. Aflojar o ceder en un empeño o una determinación.

Cetrino. De color amarillo verdoso.

Cimarrón. Animal doméstico que huye y se hace salvaje.

Clueca. Se dice de la gallina y de otras aves cuando se echan sobre los huevos para empollarlos (calentar el ave los huevos para sacar pollos).

Cocidos. Borrachos.

Coche de punto. Matriculado con destino al servicio público por alquiler y que tiene un punto fijo de parada en plaza o calle; taxi.

Compostura. Remedio o tratamiento aplicado en la cura.

Cortafríos. Barra de hierro para cortar metales fríos a golpes de martillo.

Descalabro. Contratiempo o problema que ocasionan un grave daño.

Diezmado. Disminuidos por las bajas causadas y su mortandad.

Echar una cana al aire. Divertirse o salir de diversión, especialmente cuando no se tiene costumbre.

Enardecido. Con el ánimo excitado, encendido.

Encomienda. Encargo.

Endorreico. Perteneciente o relativo al endorreísmo (afluencia de las aguas de un territorio hacia el interior de este, sin desagüe al mar).

Enseña. Estandarte que representa a la colectividad del lugar.

Erial. Tierra o campo sin cultivar ni labrar.

Esclusa. Compartimento, con puertas de entrada y salida, que se construye en un canal de navegación con el fin de que los barcos puedan pasar de un tramo a otro de diferente nivel, para lo cual se llena de agua o se vacía el espacio comprendido entre dichas puertas.

Escorrentía. Corriente de agua que rebosa su depósito o cauce natural.

Escotaduras. En una prenda de vestir, corte o abertura que se hace en la parte del cuello o de las mangas. Entrante que resulta en una cosa cuando está cortada, o cuando parece que lo está.

Espolón. Concreción ósea que tienen en el tarso varias aves.

Esquirla. Astilla desprendida de un hueso, piedra, cristal, etc., cuando se fracturan o rompen.

Estertor. Respiración anhelosa, generalmente ronca o silbante, propia de la agonía y del coma.

Fanal. Farol grande que se coloca en las puertas o en los barcos para que su luz sirva de señal; aquí la bóveda del cielo o firmamento se asocia con una pantalla o foco de luz.

FELÓN. Que comete felonía (deslealtad, traición).

GABARRA. Embarcación pequeña.

GALOPÍN. Pícaro, taimado.

GALLADURA. Coágulo de sangre, menor que una lenteja, que se encuentra en la yema del huevo fecundado que pone la gallina.

GENITOR. Que engendra (procrea, propaga la especie).

GRESCA. Pelea, riña.

GRILLADO. Loco, chiflado.

HÍBRIDAS. Obtenidas del cruce de dos elementos de distinta especie. En la narración se refiere a un tipo de uvas.

HOLLEJOS. Piel delgada que cubre algunas frutas o legumbres (uvas, legumbres, etc.).

HUERGA. Arroyo o río de poco caudal.

INCURIA. Negligencia, poco cuidado o dejadez.

INDOLENCIA. Pereza, desidia.

IRREDENTO. No redimido (redimir: librar o dejar libre, poner término a una penuria o adversidad).

JARCA. Gentecilla.

LACRADA. Dañada.

LÉGAMO. Lodo o barro pegajoso.

LUMUMBAS. Batido de cacao con coñac o brandy.

MACILENTO. Pálido, descolorido.

MARJAL. Terreno bajo y pantanoso.

MOTETE. Breve composición musical de tema religioso que se suele cantar en las iglesias.

MURGA. Molestia, incordio.

MUSITADO. Dicho en voz muy baja produciendo un murmullo.

NABINA. Semilla del nabo.

NABO («Turnip»). Planta de raíz comestible.

NO PAGA EL TIRO RECORDAR. No compensa el esfuerzo recordar.

OJO A LA FUNERALA. El párpado amoratado a consecuencia de un golpe.

ORONDO. Orgulloso de sí mismo o lleno de presunción.

PÁBILO (o pabilo). Cordón, generalmente de hilo o de algodón, que está colocado en el centro de la vela y que sirve para que alumbre al arder.

PACIÓN. Pasto que produce un prado después de segarlo.

PAGO. Lugar, pueblo o aldea.

PAJILLERO. Persona que se masturba o masturba a otra.

PALERA. Árbol que junto con sus ramas trenzadas suele servir para formar cercados o separaciones de fincas.

PARDILLO. Persona incauta y fácil de engañar.

PÉCORA. Persona astuta y de malas intenciones.

PECHADO. Asumido algo negativo como una carga o sufrir sus consecuencias.

Perro gozque. Perro pequeño muy sentido y ladrador.

Pescante. Saliente al nivel de la puerta del conductor.

Quisque (o quisqui). Cualquiera, cada uno.

Rampante. En arquitectura, un arco que tiene sus puntos de arranque a distinta altura.

Raña. Terreno de monte bajo (el que está poblado de arbustos, matas o hierbas).

Regulares. Unidad militar que forma parte del ejército estable de un país.

Remilgado. Que afecta excesiva compostura, delicadeza y gracia en porte, gestos y acciones.

Remolón. Que intenta evitar el trabajo o la realización de algo.

Resalte. Parte que sobresale de la superficie de una cosa.

Sarmiento. En una vid, rama o rebrote largos, flexibles y nudosos, de los cuales brotan las hojas y los racimos.

Sorche. Novato; soldado raso recién ingresado en el servicio militar, hasta que termina su período de instrucción básica.

Tagarnina. Cigarro puro malo.

Tarso. Parte más delgada de las patas de las aves que une los dedos con la tibia.

Telar. Artefacto raro.

Tenado. Tenada, lugar cubierto para guardar leña; en algunas zonas, para guardar heno (hierba seca para alimento del ganado).

Tendejón. Barraca mal construida.

Teutón. Alemán.

Timba. Casa de juego.

Tino. Habilidad o destreza para acertar.

Tolvanera. Remolino de polvo, típico de las zonas desérticas o esteparias

Tornasol. Cambiante, reflejo o tonalidad diferente de color que hace la luz en algunas telas o en una superficie tersa y brillante.

Torrentera. Cauce de un torrente; por extensión, el mismo torrente.

Vara. Cada una de las dos piezas de madera del carro entre las que se engancha la caballería.

Viento. Cuerda larga o alambre que se ata a una cosa para mantenerla derecha en alto o moverla con seguridad hacia un lado.

Virulé (a la virulé). Alude a la forma de llevar algo torcido, estropeado o en mal estado.

Propuestas de trabajo en clase

Capítulo 1
- Analizar el origen de Celama como mito.
- Atracción y rechazo del territorio en la configuración de la identidad.

Capítulo 2
- Aunque la perspectiva narrativa se construye atendiendo a la polarización de espacios, en el binomio Celama-Vega, sin embargo, ninguno de los términos actúa mediante la subordinación de otro. Desarrollar esta propuesta de lectura.

Capítulo 3
- Dinámica creada por la existencia de expectación y el contrapeso del escepticismo.
- Examinar el progreso frente a la fuerza de la ruina.

Capítulo 4
- Explicar la diferencia de las dos emigraciones de Elirio.
- Indicar qué momentos de la historia están focalizados desde la perspectiva del perro.

- Examinar los recursos que mantienen al lector en suspenso, a la expectativa de lo que pueda pasar y a la espera de poder dar sentido a la información fragmentada que se le proporciona.

Capítulo 5
- Analizar cómo se caracteriza en el relato la dinámica de la familia del viejo Rivas.
- Contrastar las imágenes del agua y del erial en los dos párrafos finales del relato y su relación con Caronte.

Capítulo 6
- Examinar la caracterización de los acreedores y cómo se apunta que sus créditos atan a Roco de forma abusiva.
- Analizar cómo se sugiere la relación entre los topónimos y la realidad que nombran.
- Analizar el contraste: Midas y Frigia frente a Roco y Celama.

Capítulo 7
- Señalar de qué forma el texto vincula al ruso con la muerte de Verino.
- Analizar cómo se da forma a los enigmas no resueltos.
- Discutir si la manera mediante la que algunos contenidos son ocultados coincide con las palabras que sugieren una posible forma de articular la historia.
- ¿Se define la historia del ruso por lo que oculta y permanece en la sombra?

Capítulo 8
- Analizar cómo se presentan las expectativas de la comunidad.
- Examinar los recursos humorísticos del contenido y de la forma de contar los sucesos.

Capítulo 9
- Analizar las continuidades y variaciones temáticas de este capítulo en relación con el capítulo uno.
- Examinar la simbiosis del personaje y del espacio.

Capítulo 10
- Examinar la proyección de referentes culturales, situaciones y valores humanos sobre la historia de la Gallina Cervera.
- Analizar los recursos que producen comicidad en la forma de relatar la historia.

Capítulo 11
- Explicar en qué consisten las dos Celamas de que habla Rapano.
- Analizar las diferentes mentalidades que se expresan en este capítulo dialogado; a continuación, analizar con cuál de ellas se identifica la novela en su conjunto.

Capítulo 12
- Analizar la relación entre el agua, la identidad y la pérdida.
- Examinar cómo la perspectiva materialista que se fija en los ritmos de producción coexiste al lado de una perspectiva más crítica sobre el sentimiento de pérdida.

Capítulo 13

- Analizar el valor de los sueños y comparar su función con la que tiene en otros relatos.
- Examinar qué efectos tiene la mezcla de humor con los temas graves que aparecen en el relato.

Capítulo 14

- En el relato, la busca de satisfacción juega un papel clave. Examinar el principio de placer y la atracción hacia la muerte como impulsos de los personajes.
- Analizar en qué medida el dinero y la riqueza son obstáculos en el camino de quienes están marcados por la costumbre.
- Identidad y carencia como componentes de la identidad.
- Tras sumergirse en la busca disparatada de placer, ¿cambia en algo su percepción de la realidad?

Capítulo 15

- ¿Qué rasgos de la infancia del personaje perduran en su memoria y qué significado cabe dar al hecho de que perduren?
- Aunque este capítulo último a fin de cuentas sea sólo una parte de la novela, analizar si en él se sintetizan aspectos que proporcionen una visión unitaria del conjunto.

Preguntas generales

1. ¿Se desprende de alguna parte de la novela un planteamiento socialmente crítico?

2. Analizar cómo se trata en la novela el enraizamiento de los personajes en el territorio que habitan.

3. En Celama hay hombres y mujeres, ¿tiene algún sentido hablar de personajes sexuados? ¿Se hace hincapié en rasgos caracterizadores sexuados?

4. Considerando el papel de la mujer en los diferentes relatos, analizar si se convierten en un obstáculo para la acción o en un incentivo, o si son personajes con iniciativa y agentes determinantes de su trayectoria.

5. La presencia de múltiples personajes actúa como memoria colectiva de una cultura rural en declive, condenada a desaparecer. Analizar los elementos que vertebran esa cultura rural.

6. La narración no es continua, sino que se mueve realizando cortes temporales cuya cronología a veces es imprecisa. Identificar qué momentos diferenciados se pueden distinguir en los relatos. Analizar la función del pasado remoto en el tiempo de la novela.

7. Atendiendo a las voces narrativas, caracterizar su actitud ante el relato: neutralidad, subjetividad, omnisciencia, omnipresencia. Seleccionar y comentar algún momento

en el que haya alternancia entre voz narradora y escenas dialogadas.

8. Examinar en qué momentos y con qué significación se señala la racionalidad moderna, el progreso, la productividad y el dinero.

Bibliografía

Obras de Luis Mateo Díez: cronología

1971: Equipo «Claraboya» (con Agustín Delgado, Ángel Fierro y José Antonio Llamas). *Teoría y poemas*. Barcelona: El Bardo.

1972: *Señales de humo* (provincia). León: Institución Fray Bernardino de Sahagún.

1973: *Memorial de hierbas* (cuentos). Madrid: Editorial Magisterio Español.

1975: *Parnasillo Provincial de poetas apócrifos*. Con Agustín Delgado y José María Merino. León: El Búho Viajero.

1977: *Apócrifo del clavel y la espina* (novelas cortas). Madrid: Editorial Magisterio Español.

1981: *Relato de Babia*. León: Papalaginda; León: Diputación de León, Breviarios de la Calle del Pez, 1986; Introducción de Ángel G. Loureiro. Madrid: Espasa Calpe, 1991; Introducción de María Payeras Grau. Valladolid: Ámbito, 2003 [las referencias y citas de la introducción remiten a la edición de Espasa Calpe].

1982: *Las estaciones provinciales*. Madrid: Alfaguara.

1985: *Sabino Ordás, Las cenizas del Fénix* (colección de artículos periodísticos). Con Juan Pedro Aparicio y José María Merino. Madrid: CSIC.

1986: *La fuente de la edad*. Madrid: Alfaguara.

1987: *El sueño y la herida* (cuento). Madrid: Almarabú.

1989: *Brasas de agosto* (cuentos). Madrid: Alfaguara.

1990: *Las horas completas*. Madrid: Alfaguara.

1992: *El expediente del náufrago*. Madrid: Alfaguara.

— *El porvenir de la ficción* (colección de artículos de reflexión literaria). Madrid: Caballo Griego para la Poesía.

1993: *Los males menores* (cuentos y microrrelatos). Madrid: Alfaguara.

1994: *Valles de leyenda*. Con Florentino Agustín Díez y Antón Díez. León: EDILESA.

1995: *Camino de perdición*. Madrid: Alfaguara.

1996: *El espíritu del páramo. Un relato*. Madrid: Ollero y Ramos Editores.

— *La mirada del alma*. Madrid: Alfaguara.

1997: *Días del desván* (memorias noveladas). León: EDILESA.

1998: *El paraíso de los mortales*. Madrid: Alfaguara.

— *La línea del espejo* (Un relato de personajes). Madrid: Alfaguara.

1999: *La ruina del cielo —Un obituario—*. Madrid: Ollero y Ramos Editores.

— *Antología. Las estaciones de la memoria*. León: EDILESA.

— *El árbol de los cuentos* (cuentos). Madrid: Alfaguara.

2000: *El pasado legendario*. Madrid: Alfaguara. Reúne: *El árbol de los cuentos, Apócrifo del clavel y la espina, Relato de Babia, Brasas de agosto, Los males menores* y *Días del desván*.

— *Lunas del Caribe* (narrativa infantil). Madrid: Anaya.

— *Las palabras de la vida*. Madrid: Ediciones Temas de hoy.

— *Laciana. Suelo y sueño*. León: EDILESA.

2001: *El diablo meridiano*. Madrid: Alfaguara.

— *La mano del sueño (Algunas consideraciones sobre el arte narrativo, la imaginación y la memoria)*. Discurso de Ingreso en la RAE.

— *Balcón de piedra. Visiones de la Plaza Mayor.* Madrid: Ollero y Ramos Editores.

2002: *El oscurecer (un encuentro).* Madrid: Ollero y Ramos Editores.

2003: *El reino de Celama.* Barcelona: Plaza y Janés. Reúne: *El espíritu del páramo, La ruina del cielo* y *El oscurecer.*

— *El eco de las bodas* (novelas cortas). Madrid: Alfaguara.

2004: *Las lecciones de las cosas* (cuentos). León: EDILESA.

— *Fantasmas del invierno.* Madrid: Alfaguara.

2005: *El fulgor de la pobreza* (novelas cortas). Madrid: Alfaguara.

2006: *La gloria de los niños.* Madrid: Alfaguara.

— *La piedra en el corazón.* Barcelona: Galaxia Gutenberg/Círculo de Lectores.

— *El árbol de los cuentos. Cuentos reunidos 1973-2004.* Madrid: Alfaguara.

2007: *Palabras en la nieve: un filandón.* Junto a Juan Pedro Aparicio y José María Merino. (Compuesto por quince microrrelatos de cada autor.) Madrid: El rey Lear.

2008: *El sol de la nieve o El día que desaparecieron los niños de Celama.* Madrid: Gadir Editorial.

Bibliografía crítica

Alonso, Santos (2002): «Introducción». En: Luis Mateo Díez. *La fuente de la edad.* Madrid: Cátedra, 9-83.

Álvarez Méndez, Natalia (2003): «Desde la otra orilla de la existencia, con José María Merino, al espacio mítico de la vida, con Luis Mateo Díez». En: *Exemplaria* 7, 221-238.

Andrés-Suárez, Irene y Casas, Ana (2005): *Cuadernos de narrativa. Luis Mateo Díez.* Madrid: Arco/Libros.

Balcells, José María (ed.) (2005): *Literatura actual en Castilla y León*. Valladolid: Ámbito.

Basanta, Ángel (1996): «El espíritu del páramo». En: *ABC literario* (19 de abril).

Candau, Antonio (2005): «Luis Mateo Díez». En: *Contemporary Spanish Fiction. Dictionary of Literary Biography*. Columbia (SC): Bruccoli Clark Layman, 95-101.

Castro Díez, Asunción y Hernández, Domingo-Luis (eds.) (2003): *Luis Mateo Díez: los laberintos de la memoria*. Santa Cruz de Tenerife: La Página.

Díaz Navarro, Epicteto (2005): «Tres novelas actuales: una aproximación a Carmen Martín Gaite, Luis Mateo Díez y Juan Manuel de Prada». En: Balcells 2005: 81-88.

Díez R., Miguel (1999): *Antología. Luis Mateo Díez. Las estaciones de la memoria*. León: Edilesa.

Epps, Brad (2004): «Spanish Prose, 1975-2002». En: *The Cambridge History of Spanish Literature*. Ed. de David T. Gies. Cambridge: Cambridge University Press, 705-723.

Francisco, Itziar de (2000): «La vida es menos vida sin novela. Entrevista a Luis Mateo Díez». En: *El Cultural* (18 de octubre).

— (2006): «Percibo cierto descrédito de la ficción. Entrevista a Luis Mateo Díez». En: *El Cultural* (7 de septiembre).

García, Carlos Javier (1995): *La invención del grupo leonés. Estudio y entrevistas. Juan Pedro Aparicio, Luis Mateo Díez, Julio Llamazares, José María Merino, Antonio Pereira*. Madrid: Júcar.

García-Posada, Miguel (1996): «En las Regiones del Mito». *El País. Babelia* (30 de marzo).

González Boixo, José Carlos (2003): «El universo de Celama». En: Castro Díez y Hernández 2003: 523-578.

Gracia, Jordi (2000): «La vida cultural». En: Francisco Rico (coord.). *Historia y crítica de la literatura española*. Vol. 9, tomo

2: *Los nuevos nombres, 1975-1990. Primer suplemento.* Ed. de Jordi Gracia. Barcelona: Editorial Crítica, 11-50.

Guelbenzu, José María (1987): «Las tres generaciones y el lobo feroz». En: *El País* (29 de noviembre).

Hernández, Domingo-Luis (2003): «Ruina y memoria (una conversación en La Gomera)». En: Castro Díez y Hernández 2003: 487-522.

Kershner, R. B. (1997): *The Twentieth-Century Novel. An Introduction.* Boston: Bedford Books.

Lacan, Jacques (1977): *Écrits: A Selection.* Traducción de Alan Sheridan. London: Routledge.

Loureiro G., Ángel (1991): «Introducción». En: Luis Mateo Díez. *Relato de Babia.* Madrid: Espasa Calpe, 9-24.

Marchamalo, Jesús (2005): «Entrevista a Luis Mateo Díez». En: *Cuadernos Hispanoamericanos* 661-662 (julio-agosto), 219-228.

Martínez Fernández, José Enrique (2005): «Territorios de la memoria en la narrativa de Luis Mateo Díez». En: Andrés-Suárez y Casas 2005: 145-155.

Merino, José María (2005): «*La ruina del cielo* de Luis Mateo Díez. Una culminación». En: Andrés-Suárez y Casas 2005: 265-272.

Moreno Caballud, Luis (2006): «Leyenda de una posguerra íntima: ética, memoria y narración en *Fantasmas del invierno*». En: *Siglo XXI. Literatura y cultura españolas* 4, 253-265.

Navajas, Gonzalo (2003): «Escritura y tecnología: la narrativa castellano-leonesa y la nueva comunicación». En: *Siglo XXI. Literatura y cultura españolas* 1, 189-201.

Oleza, Joan (1996): «Un realismo posmoderno». En: *Ínsula* 589-590, 39-42.

Provencio, Pedro (1988): *Poéticas españolas contemporáneas. La generación del 70.* Madrid: Hiperión.

SANZ VILLANUEVA, Santos (1992): «La novela». En: Villanueva 1992: 249-284.

— (1988): «Manifiesto: Generación del 68». En: *El Urogallo* (junio), 27-31.

SENABRE, Ricardo (2005a): «Deudas de la novela». En: Balcells 2005: 25-33.

— (2005b). *Metáfora y novela*. Valladolid: Cátedra Miguel Delibes, 85-88.

— (2005c): «Temas y motivos en la narrativa de Luis Mateo Díez». En: Andrés-Suárez y Casas 2005: 37-47.

SOLDEVILA DURANTE, Ignacio (1980): *La novela desde 1936*. Madrid: Alambra.

TURPIN, Enrique (2003): «*El espíritu del páramo*, una comarca para el alma». En: Castro Díez y Hernández 2003: 455-468.

VALLS, Fernando (1996): «Espíritu, tierra y agua: las leyendas del páramo de Luis Mateo Díez». En: *Ínsula* 22 (julio-agosto), 22-23.

— (2002): «Introducción». En: Luis Mateo Díez. *Los males menores. Microrrelatos*. Madrid: Espasa Calpe, 7-112.

VILLANUEVA, Darío (ed.) (1992): *Los nuevos nombres: 1975-1990*. 86-93. Vol. 9, tomo 1 de *Historia y crítica de la literatura española*. Francisco Rico (coord.). Barcelona: Editorial Crítica:

— (1992): «Los marcos de la literatura española (1975-1990): esbozo de un sistema». En: Villanueva 1992: 3-40.

— (2002): «Sociedad y ficción narrativa». En: *Veinticinco años del reinado de S. M. Don Juan Carlos I*. Madrid: Espasa Calpe/ Real Academia de la Historia, 808-826.

Sebastián de Covarrubias Horozco
*Tesoro de la lengua castellana
o española.*
Edición integral e ilustrada
de Ignacio Arellano y Rafael Zafra.

Incluye DVD. 2006, 1700 págs.,
Biblioteca Áurea Hispánica 21,
tapa dura, ISBN 8484890740

Esta edición aporta la versión definitiva del *Tesoro de la lengua castellana* de Sebastián de Covarrubias tal y como él la concibió. En el texto de la edición de 1611 se han integrado las nuevas voces y las modificaciones a las existentes que Covarrubias preparó en su Suplemento para una segunda edición, que no se llegó a publicar por su repentina muerte. Esta versión del *Tesoro* es pues, la única versión "completa" que incluye todos los materiales. Como apéndice se incluyen las adiciones que Noydens hizo en su edición del Tesoro de 1673 –edición que también ha sido cotejada. Para facilitar la lectura se ha modernizado el texto atendiendo a los criterios filológicos más rigurosos.

También se han modernizado las entradas para facilitar su localización según el criterio de búsqueda moderno, manteniendo entre corchetes las formas originales y disponiendo un rico sistema de referencias cruzadas para mantener todos los aspectos relevantes del original y lograr a la vez un manejo funcional y fácil. Se acompaña el libro con un DVD.

Miguel Delibes
*Viejas historias de Castilla la Vieja. La
mortaja. La partida.*
Edición, introducción y
guía de lectura Antonio Candau.

2007, 276 págs.,
Lecturas Españolas Contemporáneas 1,
ISBN 9788484893547

Este volumen, dirigido en primer término al público universitario que estudia español en el extranjero, reúne varias obras de Miguel Delibes publicadas previamente de manera separada. Como atestiguan las traducciones de sus libros a numerosos idiomas y la larga lista de premios conseguidos, desde el Cervantes al Príncipe de Asturias, Delibes es uno de los grandes narradores del siglo XX y uno de los mejores cultivadores de la narración breve en español, género representado en la presente edición.

Acercarse a la literatura de Miguel Delibes, escritor elegante, de escaso artificio formal, es una experiencia única e insustituible para los lectores interesados en una visión de la España y de la civilización occidental del siglo XX.

José Fradejas Lebrero (ed.)
Más de mil y un cuentos
del Siglo de Oro.

2008, 610 págs.,
Biblioteca Áurea Hispánica 54,
tapa dura, ISBN 9788484893820

Seis manuscritos, cuatro de la Biblioteca Nacional, uno de la Real Academia Española y otro que también perteneció a Antonio Rodríguez Moñino, han dado lugar a esta colección de *dichos y hechos,* cuentecillos o *facecias,* que corrían, al parecer, en boca de las gentes durante el siglo XVI.

No se trata en realidad de un género o subgénero definido; que cada lector haga su composición de lugar y tome partido por lo risueño o gracioso, por lo histórico o por la formación y evolución de cada uno de los cuentecillos.

Algunos de estos episodios no figuran en las *crónicas,* ni en las *vidas* de sus protagonistas y se han conservado por tradición, las más de las veces novelescas. Fantasía que la realidad hizo posible. La historia no auténtica pero verosímil de aquellos seres de excepción.

Lourdes Ortiz
Voces de mujer.
Edición, introducción y guía
de lectura Nuria Morgado.

2007, 206 págs.,
Lecturas Españolas Contemporáneas 2,
ISBN 9788484893530

Lourdes Ortiz no sólo ocupa un lugar relevante en el panorama literario español sino que también destaca por ser una de las figuras más importantes dentro de la cultura española. Sus escritos literarios y periodísticos y su continua participación en los medios de comunicación revelan a una personalidad con una ideología ética y estética, y un conocimiento del mundo, digno de ser reseñado para acceder a una visión moderna de la España actual, es decir, para lograr un profundo entendimiento de las diferentes realidades que conforman el país. Por otra parte, sus sabias reflexiones nos acercan a una mejor comprensión del ser humano y sus luchas existenciales. La totalidad de su obra refleja estas afirmaciones.